D0481249

MARIO
UND DER ZAUBERER

EIN TRAGISCHES REISEERLEBNIS

VON

THOMAS MANN

S. FISCHER / VERLAG / BERLIN

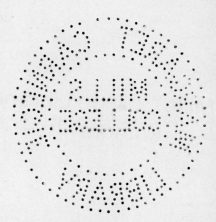

MARIO UND DER ZAUBERER

Die Erinnerung an Torre di Venere ist atmosphärisch unangenehm. Ärger, Gereiztheit, Überspannung lagen von Anfang an in der Luft, und zum Schluß kam dann der Chok mit diesem schrecklichen Cipolla, in dessen Person sich das eigentümlich Bösartige der Stimmung auf verhängnishafte und übrigens menschlich sehr eindrucksvolle Weise zu verkörpern und bedrohlich zusammenzudrängen schien. Daß bei dem Ende mit Schrecken (einem, wie uns nachträglich schien, vorgezeichneten und im Wesen der Dinge liegenden Ende) auch noch die Kinder anwesend sein

7

mußten, war eine traurige und auf Mißverständnis beruhende Ungehörigkeit für sich, verschuldet
durch die falschen Vorspiegelungen des merk-
würdigen Mannes. Gottlob haben sie nicht verstanden, wo das Spektakel aufhörte und die Kata-
strophe begann, und man hat sie in dem glück-
lichen Wahn gelassen, daß alles Theater gewesen sei.

Torre liegt etwa fünfzehn Kilometer von Portoclemente, einer der beliebtesten Sommerfrischen
am Tyrrhenischen Meer, städtisch-elegant und
monatelang überfüllt, mit bunter Hotel- und Ba-
sarstraße am Meere hin, breitem, von Capannen,
bewimpelten Burgen und brauner Menschheit be-
decktem Strande und einem geräuschvollen Unter-
haltungsbetrieb. Da der Strand, begleitet von
Piniengehölz, auf das aus geringer Entfernung
die Berge herniederblicken, diese ganze Küste entlang seine wohnlich-feinsandige Geräumigkeit be-

hält, ist es kein Wunder, daß etwas weiterhin stillere Konkurrenz sich schon zeitig aufgetan hat: Torre di Venere, wo man sich übrigens nach dem Turm, dem es seinen Namen verdankt, längst vergebens umsieht, ist als Fremdenort ein Ableger des benachbarten Großbades und war während einiger Jahre ein Idyll für wenige, Zuflucht für Freunde des unverweltlichten Elementes. Wie es aber mit solchen Plätzen zu gehen pflegt, so hat sich der Friede längst eine Strecke weiter begeben müssen, der Küste entlang, nach Marina Petriera und Gott weiß wohin; die Welt, man kennt das, sucht ihn und vertreibt ihn, indem sie sich in lächerlicher Sehnsucht auf ihn stürzt, wähnend, sie könne sich mit ihm vermählen, und wo sie ist, da könne er sein; ja, wenn sie an seiner Stelle schon ihren Jahrmarkt aufgeschlagen hat, ist sie imstande zu glauben, er sei noch da. So ist Torre, wenn auch immer noch beschaulicher und bescheidener als Portoclemente, bei Italienern und Fremden stark in Aufnahme gekommen. Man geht nicht mehr in das Weltbad, wenn auch nur in dem Maße nicht mehr, daß dieses trotzdem ein lärmend ausverkauftes Weltbad bleibt; man geht nebenan, nach Torre, es ist sogar feiner, es ist außerdem billiger, und die Anziehungskraft dieser Eigenschaften fährt fort, sich zu bewähren, während die Eigenschaften selbst schon nicht mehr bestehen. Torre hat ein Grand Hôtel bekommen; zahlreiche Pensionen, anspruchsvolle und schlichtere, sind erstanden; die Besitzer und Mieter der Sommerhäuser und Pineta-Gärten oberhalb des Meeres sind am Strande keineswegs mehr ungestört; im Juli, August unterscheidet das Bild sich dort in nichts mehr von dem in Portoclemente: es wimmelt von zeterndem, zankendem, jauchzendem Badevolk, dem eine wie toll herabbrennende Sonne die Haut von den Nacken schält; flachbodige, grell

10

bemalte Boote, von Kindern bemannt, deren tö-
nende Vornamen, ausgestoßen von Ausschau hal-
tenden Müttern, in heiserer Besorgnis die Lüfte
erfüllen, schaukeln auf der blitzenden Bläue, und
über die Gliedmaßen der Lagernden tretend bieten
die Verkäufer von Austern, Getränken, Blumen,
Korallenschmuck und Cornetti al burro, auch sie
mit der belegten und offenen Stimme des Südens,
ihre Ware an.

So sah es am Strande von Torre aus, als wir
kamen — hübsch genug, aber wir fanden dennoch,
wir seien zu früh gekommen. Es war Mitte
August, die italienische Saison stand noch in
vollem Flor; das ist für Fremde der rechte Augen-
blick nicht, die Reize des Ortes schätzen zu lernen.
Welch ein Gedränge nachmittags in den Garten-
Cafés der Strandpromenade, zum Beispiel im
„Esquisito“, wo wir zuweilen saßen, und wo
Mario uns bediente, derselbe Mario, von dem ich

11

dann gleich erzählen werde! Man findet kaum
einen Tisch, und die Musikkapellen, ohne daß
eine von der anderen wissen wollte, fallen einander wirr ins Wort. Gerade nachmittags gibt es
übrigens täglich Zuzug aus Portoclemente; denn
natürlich ist Torre ein beliebtes Ausflugsziel für
die unruhige Gästeschaft jenes Lustplatzes, und
dank den hin und her sausenden Fiat-Wagen ist
das Lorbeer- und Oleandergebüsch am Saum der
verbindenden Landstraße von weißem Staube zoll-
dick verschneit — ein merkwürdiger, aber ab-
stoßender Anblick.

Ernstlich, man soll im September nach Torre
di Venere gehen, wenn das Bad sich vom großen
Publikum entleert hat, oder im Mai, bevor die
Wärme des Meeres den Grad erreicht hat, der den
Südländer dafür gewinnt, hineinzutauchen. Auch
in der Vor- und Nachsaison ist es nicht leer dort,
aber gedämpfter geht es dann zu und weniger

national. Das Englische, Deutsche, Französische herrscht vor unter den Schattentüchern der Capannen und in den Speisesälen der Pensionen, während der Fremde noch im August wenigstens das Grand Hôtel, wo wir mangels persönlicherer Adressen Zimmer belegt hatten, so sehr in den Händen der florentinischen und römischen Gesellschaft findet, daß er sich isoliert und augenblicksweise wie ein Gast zweiten Ranges vorkommen mag.

Diese Erfahrung machten wir mit etwas Verdruß am Abend unserer Ankunft, als wir uns zum Diner im Speisesaal einfanden und uns von dem zuständigen Kellner einen Tisch anweisen ließen. Es war gegen diesen Tisch nichts einzuwenden, aber uns fesselte das Bild der anstoßenden, auf das Meer gehenden Glasveranda, die so stark wie der Saal, aber nicht restlos besetzt war, und auf deren Tischchen rotbeschirmte Lampen glühten.

Die Kleinen zeigten sich entzückt von dieser Fest-
lichkeit, und wir bekundeten einfach den Ent-
schluß, unsere Mahlzeiten lieber in der Veranda
einzunehmen — eine Äußerung der Unwissen-
heit, wie sich zeigte, denn wir wurden mit etwas
verlegener Höflichkeit bedeutet, daß jener an-
heimelnde Aufenthalt „unserer Kundschaft", „ai
nostri clienti", vorbehalten sei. Unseren Klien-
ten? Aber das waren wir. Wir waren keine Pas-
santen und Eintagsfliegen, sondern für drei oder
vier Wochen Hauszugehörige, Pensionäre. Wir
unterließen es übrigens, auf der Klarstellung des
Unterschiedes zwischen unsersgleichen und jener
Klientele, die bei rot glühenden Lämpchen speisen
durfte, zu bestehen und nahmen das Pranzo an
unserm allgemein und sachlich beleuchteten Saal-
tische — eine recht mittelmäßige Mahlzeit, cha-
rakterloses und wenig schmackhaftes Hotelschema;
wir haben die Küche dann in der Pensione Eleo-

nora, zehn Schritte landeinwärts, viel besser ge-
funden.

Dorthin nämlich siedelten wir schon über, bevor
wir im Grand Hôtel nur erst warm geworden, nach
drei oder vier Tagen, — nicht der Veranda und
ihrer Lämpchen wegen; die Kinder, sofort be-
freundet mit Kellnern und Pagen, von Meeres-
lust ergriffen, hatten sich jene farbige Lockung
sehr bald aus dem Sinn geschlagen. Aber mit ge-
wissen Verandaklienten, oder richtiger wohl nur
mit der Hotelleitung, die vor ihnen liebedienerte,
ergab sich sogleich einer dieser Konflikte, die
einem Aufenthalt von Anfang an den Stempel des
Unbehaglichen aufdrücken können. Römischer
Hochadel befand sich darunter, ein Principe X.
mit Familie, und da die Zimmer dieser Herrschaften in Nachbarschaft der unsrigen lagen, war
die Fürstin, große Dame und leidenschaftliche
Mutter zugleich, in Schrecken versetzt worden

durch die Restspuren eines Keuchhustens, den unsere Kleinen kurz zuvor gemeinsam überstanden hatten, und von dem schwache Nachklänge zuweilen noch nachts den sonst unerschütterlichen Schlaf des Jüngsten unterbrachen. Das Wesen dieser Krankheit ist wenig geklärt, dem Aberglauben hier mancher Spielraum gelassen, und so haben wir es unserer eleganten Nachbarin nie verargt, daß sie der weit verbreiteten Meinung anhing, der Keuchhusten sei akustisch ansteckend, und einfach für ihre Kleinen das schlechte Beispiel fürchtete. Im weiblichen Vollgefühl ihres Ansehens wurde sie vorstellig bei der Direktion, und diese, in der Person des bekannten Gehrockmanagers, beeilte sich, uns mit vielem Bedauern zu bedeuten, unter diesen Verhältnissen sei unsere Umquartierung in den Nebenbau des Hotels eine unumgängliche Notwendigkeit. Wir hatten gut beteuern, die Kinderkrankheit befinde sich im Stadium letzten Abklingens, sie habe als überwunden zu gelten und stelle keinerlei Gefahr für die Umgebung mehr dar. Alles, was uns zugestanden wurde, war, daß der Fall vor das medizinische Forum gebracht und der Arzt des Hauses — nur dieser, nicht etwa ein von uns bestellter — zur Entscheidung berufen werden möge. Wir willigten in dieses Abkommen, überzeugt, so sei zugleich die Fürstin zu beruhigen und für uns die Unbequemlichkeit eines Umzuges zu vermeiden. Der Doktor kommt und erweist sich als ein loyaler und aufrechter Diener der Wissenschaft. Er untersucht den Kleinen, erklärt das Übel für abgelaufen und

verneint jede Bedenklichkeit. Schon glauben wir uns berechtigt, den Zwischenfall für beigelegt zu halten: da erklärt der Manager, daß wir die Zimmer räumten und in der Dependance Wohnung nähmen, bleibe auch nach den Feststellungen des Arztes geboten.

Dieser Byzantinismus empörte uns. Es ist unwahrscheinlich, daß die wortbrüchige Hartnäckigkeit, auf die wir stießen, diejenige der Fürstin war. Der servile Gastwirt hatte wohl nicht einmal gewagt, ihr von dem Votum des Doktors Mitteilung zu machen. Jedenfalls verständigten wir ihn dahin, wir zögen es vor, das Hotel überhaupt und sofort zu verlassen — und packten. Wir konnten es leichten Herzens tun, denn schon mittlerweile hatten wir zur Pensione Eleonora, deren freundlich privates Äußere uns gleich in die Augen gestochen hatte, im Vorübergehen Beziehungen angeknüpft und in der Person ihrer Besitzerin,

Signora Angiolieri, eine sehr sympathische Be-
kanntschaft gemacht. Frau Angiolieri, eine zier-
liche, schwarzäugige Dame, toskanischen Typs,
wohl anfangs der Dreißiger, mit dem matten
Elfenbeinteint der Südländerinnen, und ihr Gatte,
ein sorgfältig gekleideter, stiller und kahler Mann,
besaßen in Florenz ein größeres Fremdenheim
und standen nur im Sommer und frühen Herbst
der Filiale in Torre di Venere vor. Früher aber,
vor ihrer Verheiratung, war unsere neue Wirtin
Gesellschafterin, Reisebegleiterin, Garderobiere, ja
Freundin der Duse gewesen, eine Epoche, die sie
offenbar als die große, die glückliche ihres Lebens
betrachtete, und von der sie bei unserem ersten Be-
such sogleich mit Lebhaftigkeit zu erzählen be-
gann. Zahlreiche Photographien der großen
Schauspielerin, mit herzlichen Widmungen ver-
sehen, auch weitere Andenken an das Zusammen-
leben von einst schmückten die Tischchen und

2*

*Etageren von Frau Angiolieris Salon, und ob-
gleich auf der Hand lag, daß der Kult ihrer in-
teressanten Vergangenheit ein wenig auch die Anziehungskraft ihres gegenwärtigen Unternehmens
erhöhen wollte, hörten wir doch, während wir
durchs Haus geführt wurden, mit Vergnügen und
Anteil ihren in stakkiertem und klingendem Tos-
kanisch vorgetragenen Erzählungen von der lei-
denden Güte, dem Herzensgenie und dem tiefen
Zartsinn ihrer verewigten Herrin zu.*

*Dorthin also ließen wir unsere Sachen bringen,
zum Leidwesen des nach gut italienischer Art sehr
kinderlieben Personals vom Grand Hôtel; die uns
eingeräumte Wohnung war geschlossen und angenehm, der Kontakt mit dem Meere bequem, ver-
mittelt durch eine Allee junger Platanen, die auf
die Strandpromenade stieß, der Speisesaal, wo
Mme. Angiolieri jeden Mittag eigenhändig die
Suppe auffüllte, kühl und reinlich, die Bedie-*

nung aufmerksam und gefällig, die Beköstigung
vortrefflich, sogar Wiener Bekannte fanden sich
vor, mit denen man nach dem Diner vorm Hause
plauderte, und die weitere Bekanntschaften ver-
mittelten, und so hätte alles gut sein können —
wir waren unseres Tausches vollkommen froh,
und nichts fehlte eigentlich zu einem zufrieden-
stellenden Aufenthalt.

Dennoch wollte kein rechtes Behagen aufkom-
men. Vielleicht ging der törichte Anlaß unseres
Quartierwechsels uns gleichwohl nach, — ich per-
sönlich gestehe, daß ich schwer über solche Zu-
sammenstöße mit dem landläufig Menschlichen,
dem naiven Mißbrauch der Macht, der Unge-
rechtigkeit, der kriecherischen Korruption hin-
wegkomme. Sie beschäftigten mich zu lange, stürz-
ten mich in ein irritiertes Nachdenken, das seine
Fruchtlosigkeit der übergroßen Selbstverständlich-
keit und Natürlichkeit dieser Erscheinungen ver-

dankt. Dabei fühlten wir uns mit dem Grand Hôtel
nicht einmal überworfen. Die Kinder unterhielten
ihre Freundschaften dort nach wie vor, der Haus-
diener besserte ihnen ihr Spielzeug aus, und dann
und wann tranken wir unseren Tee in dem Garten
des Etablissements, nicht ohne der Fürstin an-
sichtig zu werden, welche, die Lippen korallenrot
aufgehöht, mit zierlich festen Tritten erschien, um
sich nach ihren von einer Engländerin betreuten
Lieblingen umzusehen, und sich dabei unserer be-
denklichen Nähe nicht vermutend war, denn
streng wurde unserem Kleinen, sobald sie sich
zeigte, untersagt, sich auch nur zu räuspern.

Die Hitze war unmäßig, soll ich das anführen?
Sie war afrikanisch; die Schreckensherrschaft der
Sonne, sobald man sich vom Saum der indigo-
blauen Frische löste, von einer Unerbittlichkeit,
die die wenigen Schritte vom Strande zum Mit-
tagstisch, selbst im bloßen Pyjama, zu einem im

22

voraus beseufzten Unternehmen machte. Mögen
Sie das? Mögen Sie es wochenlang? Gewiß, es ist
der Süden, es ist klassisches Wetter, das Klima
erblühender Menschheitskultur, die Sonne Ho-
mers und so weiter. Aber nach einer Weile, ich
kann mir nicht helfen, werde ich leicht dahin gebracht, es stumpfsinnig zu finden. Die glühende
Leere des Himmels Tag für Tag fällt mir bald
zur Last, die Grellheit der Farben, die ungeheure
Naivität und Ungebrochenheit des Lichts erregt
wohl festliche Gefühle, sie gewährt Sorglosigkeit
und sichere Unabhängigkeit von Wetterlaunen
und -rückschlägen; aber ohne daß man sich anfangs Rechenschaft davon gäbe, läßt sie tiefere,
uneinfachere Bedürfnisse der nordischen Seele
auf verödende Weise unbefriedigt und flößt auf
die Dauer etwas wie Verachtung ein. Sie haben
recht, ohne das dumme Geschichtchen mit dem
Keuchhusten hätte ich es wohl nicht so empfunden;

23

ich war gereizt, ich wollte es vielleicht emp-
finden und griff halb unbewußt ein bereitliegendes
geistiges Motiv auf, um die Empfindung damit
wenn nicht zu erzeugen, so doch zu legitimieren
und zu verstärken. Aber rechnen Sie hier mit un-
serem bösen Willen, — was das Meer betrifft, den
Vormittag im feinen Sande, verbracht vor seiner
ewigen Herrlichkeit, so kann unmöglich derglei-
chen in Frage kommen, und doch war es so, daß
wir uns, gegen alle Erfahrung, auch am Strande
nicht wohl, nicht glücklich fühlten.

Zu früh, zu früh, er war, wie gesagt, noch in
den Händen der inländischen Mittelklasse, —
eines augenfällig erfreulichen Menschenschlages,
auch da haben Sie recht, man sah unter der
Jugend viel Wohlschaffenheit und gesunde An-
mut, war aber unvermeidlich doch auch umringt
von menschlicher Mediokrität und bürgerlichem
Kroppzeug, das, geben Sie es zu, von dieser Zone

24

geprägt nicht reizender ist als unter unserem Himmel. Stimmen haben diese Frauen —! Es wird
zuweilen recht unwahrscheinlich, daß man sich in
der Heimat der abendländischen Gesangskunst be-
findet. „Fuggièro!" Ich habe den Ruf noch heute
im Ohr, da ich ihn zwanzig Vormittage lang hun-
dertmal dicht neben mir erschallen hörte, in heiserer Ungedecktheit, gräßlich akzentuiert, mit grell
offenem è, hervorgestoßen von einer Art mecha-
nisch gewordener Verzweiflung. „Fuggièro! Ri-
spondi al mèno!" Wobei das sp populärerweise
nach deutscher Art wie schp gesprochen wurde —
ein Ärgernis für sich, wenn sowieso üble Laune
herrscht. Der Schrei galt einem abscheulichen
Jungen mit ekelerregender Sonnenbrandwunde
zwischen den Schultern, der an Widerspenstig-
keit, Unart und Bosheit das Äußerste zum besten
gab, was mir vorgekommen, und außerdem ein
großer Feigling war, imstande, durch seine

25

empörende Wehleidig-
keit den ganzen Strand
in Aufruhr zu bringen.
Eines Tages nämlich
hatte ihn im Wasser ein
Taschenkrebs in die
Zehe gezwickt, und das
antikische Heldenjam-
mergeschrei, das er ob
dieser winzigen Un-
annehmlichkeit erhob,
war markerschütternd und rief den Eindruck
eines schrecklichen Unglücksfalls hervor. Offenbar
glaubte er sich aufs giftigste verletzt. Ans Land
gekrochen, wälzte er sich in scheinbar unerträg-
lichen Qualen umher, brüllte Ohi! und Oimè! und
wehrte, mit Armen und Beinen um sich stoßend,
die tragischen Beschwörungen seiner Mutter, den
Zuspruch Fernerstehender ab. Die Szene hatte Zu-

26

lauf von allen Seiten. Ein Arzt wurde herbei-
geholt, es war derselbe, der unseren Keuchhusten
so nüchtern beurteilt hatte, und wieder bewährte
sich sein wissenschaftlicher Geradsinn. Gutmütig
tröstend erklärte er den Fall für null und nichtig
und empfahl einfach des Patienten Rückkehr ins
Bad, zur Kühlung der kleinen Kniffwunde. Statt
dessen aber wurde Fuggièro, wie ein Abgestürzter
oder Ertrunkener, auf einer improvisierten Bahre
mit großem Gefolge vom Strande getragen, — um
schon am nächsten Morgen wieder, unter dem

27

Scheine der Unabsichtlichkeit, anderen Kindern die Sandbauten zu zerstören. Mit einem Worte, ein Greuel.

Dabei gehörte dieser Zwölfjährige zu den Hauptträgern einer öffentlichen Stimmung, die, schwer greifbar in der Luft liegend, uns einen so lieben Aufenthalt als nicht geheuer verleiden wollte. Auf irgendeine Weise fehlte es der Atmosphäre an Unschuld, an Zwanglosigkeit; dies Publikum „hielt auf sich“ — man wußte zunächst nicht recht, in welchem Sinn und Geist, es prästierte Würde, stellte voreinander und vor dem Fremden Ernst und Haltung, wach aufgerichtete Ehrliebe zur Schau —, wieso? Man verstand bald, daß Politisches umging, die Idee der Nation im Spiele war. Tatsächlich wimmelte es am Strande von patriotischen Kindern, — eine unnatürliche und niederschlagende Erscheinung. Kinder bilden ja eine Menschenspezies und Gesellschaft für sich,

sozusagen eine eigene Nation; leicht und notwendig finden sie sich, auch wenn ihr kleiner Wort-
schatz verschiedenen Sprachen angehört, auf
Grund gemeinsamer Lebensform in der Welt zusammen. Auch die unsrigen spielten bald mit ein-
heimischen sowohl wie solchen wieder anderer
Herkunft. Offenbar aber erlitten sie rätselhafte
Enttäuschungen. Es gab Empfindlichkeiten,
Äußerungen eines Selbstgefühls, das zu heikel
und lehrhaft schien, um seinen Namen ganz zu
verdienen, einen Flaggenzwist, Streitfragen des
Ansehens und Vorranges; Erwachsene mischten
sich weniger schlichtend als entscheidend und
Grundsätze wahrend ein, Redensarten von der
Größe und Würde Italiens fielen, unheiter-spiel-
verderberische Redensarten; wir sahen unsere beiden betroffen und ratlos sich zurückziehen und
hatten Mühe, ihnen die Sachlage einigermaßen
verständlich zu machen: Diese Leute, erklärten

29

wir ihnen, machten soeben etwas durch, so einen
Zustand, etwas wie eine Krankheit, wenn sie
wollten, nicht sehr angenehm, aber wohl not-
wendig.

Es war unsere Schuld, wir hatten es unserer
Lässigkeit zuzuschreiben, daß es zu einem Kon-
flikt mit diesem von uns doch erkannten und ge-
würdigten Zustande kam, — noch einem Kon-
flikt; es schien, daß die vorausgegangenen nicht
ganz ungemischte Zufallserzeugnisse gewesen wa-
ren. Mit einem Worte, wir verletzten die öffent-
liche Moral. Unser Töchterchen, achtjährig, aber
nach ihrer körperlichen Entwicklung ein gutes
Jahr jünger zu schätzen und mager wie ein Spatz,
die nach längerem Bad, wie es die Wärme er-
laubte, ihr Spiel an Land im nassen Kostüm wie-
der aufgenommen hatte, erhielt Erlaubnis, den
von anklebendem Sande starrenden Anzug noch
einmal im Meere zu spülen, um ihn dann wieder

anzulegen und vor neuer Verunreinigung zu schützen. Nackt läuft sie zum wenige Meter entfernten Wasser, schwenkt ihr Trikot und kehrt zurück. Hätten wir die Welle von Hohn, Anstoß, Widerspruch voraussehen müssen, die ihr Benehmen, unser Benehmen also, erregte? Ich halte Ihnen keinen Vortrag, aber in der ganzen Welt hat das Verhalten zum Körper und seiner Nacktheit sich während der letzten Jahrzehnte grundsätzlich und das Gefühl bestimmend gewandelt. Es gibt Dinge, bei denen man sich „nichts mehr denkt", und zu ihnen gehörte die Freiheit, die wir diesem so gar nicht herausfordernden Kinderleibe

gewährt hatten. Sie wurde jedoch hierorts als Her-
ausforderung empfunden. Die patriotischen Kin-
der johlten. Fuggièro pfiff auf den Fingern. Er-
regtes Gespräch unter Erwachsenen in unserer
Nähe wurde laut und verhieß nichts Gutes. Ein
Herr in städtischem Schniepel, den wenig strand-
gerechten Melonenhut im Nacken, versichert
seinen entrüsteten Damen, er sei zu korrigieren-
den Schritten entschlossen; er tritt vor uns hin,
und eine Philippika geht auf uns nieder, in der
alles Pathos des sinnenfreudigen Südens sich in
den Dienst spröder Zucht und Sitte gestellt findet
Die Schamwidrigkeit, die wir uns hätten zuschul-
den kommen lassen, hieß es, sei um so verurtei-
lenswerter, als sie einem dankvergessenen und be-
leidigenden Mißbrauch der Gastfreundschaft Ita-
liens gleichkomme. Nicht allein Buchstabe und
Geist der öffentlichen Badevorschriften, sondern
zugleich auch die Ehre seines Landes seien frevent-

lich verletzt, und in Wahrung dieser Ehre werde
er, der Herr im Schniepel, Sorge tragen, daß unser
Verstoß gegen die nationale Würde nicht unge-
ahndet bleibe.

Wir taten unser Bestes, diese Suade mit nach-
denklichem Kopfnicken anzuhören. Dem erhitz-
ten Menschen widersprechen hätte zweifellos ge-
heißen von einem Fehler in den anderen fallen.
Wir hatten dies und das auf der Zunge, zum Beispiel, daß nicht alle Umstände zusammenträfen,
um das Wort Gastfreundschaft nach seiner rein-
sten Bedeutung ganz am Platze erscheinen zu
lassen, und daß wir, ohne Euphemismus gesprochen, nicht sowohl die Gäste Italiens, sondern
der Signora Angiolieri seien, welche eben seit
einigen Jahren den Beruf einer Vertrauten der
Duse gegen den der Gastlichkeit eingetauscht habe.
Auch hatten wir Lust, zu antworten, wie wir
nicht wüßten, daß die moralische Verwahrlosung

3 Mario

in diesem schönen Lande je einen solchen Grad
erreicht gehabt habe, daß ein solcher Rückschlag
von Prüderie und Überempfindlichkeit begreif-
lich und notwendig erscheinen könne. Aber wir
beschränkten uns darauf, zu versichern, daß jede
Provokation und Respektlosigkeit uns fern ge-
legen habe, und entschuldigend auf das zarte
Alter, die leibliche Unbeträchtlichkeit der kleinen
Delinquentin hinzuweisen. Umsonst. Unsere Be-
teuerungen wurden als unglaubhaft, unsere Ver-
teidigung als hinfällig zurückgewiesen und die
Errichtung eines Exempels als notwendig be-
hauptet. Telephonisch, wie ich glaube, wurde die
Behörde benachrichtigt, ihr Vertreter erschien am
Strande, er nannte den Fall sehr ernst, molto
grave, und wir hatten ihm hinauf zum „Platze",
ins Municipio zu folgen, wo ein höherer Beamter
das vorläufige Urteil „molto grave" bestätigte,
sich in genau denselben, offenbar landläufigen

34

didaktischen Redewendungen über unsere Tat er-
ging wie der Herr im steifen Hut und uns ein
Sühne- und Lösegeld von fünfzig Lire auferlegte.
Wir fanden, diesen Beitrag zum italienischen
Staatshaushalt müsse das Abenteuer uns wert
sein, zahlten und gingen. Hätten wir nicht abreisen sollen?

Hätten wir es nur getan! Wir hätten dann
diesen fatalen Cipolla vermieden; allein mehreres
kam zusammen, den Entschluß zu einem Orts-
wechsel hintanzuhalten. Ein Dichter hat gesagt,
es sei Trägheit, was uns in peinlichen Zuständen
festhalte — man könnte das Aperçu zur Erklärung unserer Beharrlichkeit heranziehen. Auch
räumt man nach solchem Vorkommnis nicht gern
unmittelbar das Feld; man zögert, zuzugeben, daß
man sich unmöglich gemacht habe, besonders
wenn Sympathiekundgebungen von außen den
Trotz ermutigen. In der Villa Eleonora gab es

nur eine Stimme über die Ungerechtigkeit unseres
Schicksals. Italienische Nach-Tisch-Bekannte
wollten finden, es sei dem Rufe des Landes keines-
wegs zuträglich, und äußerten den Vorsatz, den
Herrn im Schniepel landsmannschaftlich zur
Rede zu stellen. Aber dieser selbst war vom
Strande verschwunden, nebst seiner Gruppe,
schon am nächsten Tag — nicht unseretwegen
natürlich, aber es mag sein, daß das Bewußtsein
seiner dicht bevorstehenden Abreise seiner Tat-
kraft zuträglich gewesen war, und jedenfalls er-
leichterte uns seine Entfernung. Um alles zu
sagen: Wir blieben auch deshalb, weil der Aufent-
halt uns merkwürdig geworden war, und weil
Merkwürdigkeit ja in sich selbst einen Wert be-
deutet, unabhängig von Behagen und Unbehagen.
Soll man die Segel streichen und dem Erlebnis
ausweichen, sobald es nicht vollkommen danach
angetan ist, Heiterkeit und Vertrauen zu er-

zeugen? Soll man „abreisen", wenn das Leben sich ein bißchen unheimlich, nicht ganz geheuer oder etwas peinlich und kränkend anläßt? Nein doch, man soll bleiben, soll sich das ansehen und sich dem aussetzen, gerade dabei gibt es vielleicht etwas zu lernen. Wir blieben also und erlebten als schrecklichen Lohn unserer Standhaftigkeit die eindrucksvoll-unselige Erscheinung Cipollas.

Daß fast in dem Augenblick unserer staatlichen Maßregelung die Nachsaison einsetzte, habe ich nicht erwähnt. Jener Gestrenge im steifen Hut, unser Angeber, war nicht der einzige Gast, der das Bad jetzt verließ; es gab große Abreise, man sah viele Handkarren mit Gepäck sich zur Station bewegen. Der Strand entnationalisierte sich, das Leben in Torre, in den Cafés, auf den Wegen der Pineta wurde sowohl intimer wie europäischer; wahrscheinlich hätten wir jetzt sogar in der Glasveranda des Grand-Hôtel speisen können, aber wir nahmen Abstand davon, wir befanden uns am Tische der Signora Angiolieri vollkommen wohl, — das Wort Wohlbefinden in der Abschattung zu verstehen, die der Ortsdämon ihm zuteil werden ließ. Gleichzeitig aber mit dieser als wohltätig empfundenen Veränderung schlug auch das Wetter um, es zeigte sich fast auf die Stunde im Einvernehmen mit dem Ferienkalender des großen Publikums. Der Himmel bedeckte sich, nicht daß es frischer geworden wäre, aber die offene Glut, die achtzehn Tage seit unserer Ankunft (und vorher wohl lange schon) geherrscht hatte, wich einer stickigen Sciroccoschwüle, und ein schwächlicher Regen netzte von Zeit zu Zeit den samtenen Schauplatz unserer Vormittage. Auch das; zwei Drittel unserer für Torre vorgesehenen Zeit waren ohnehin abgelebt; das schlaffe, entfärbte Meer, in dessen Flachheit träge Quallen trieben, war immerhin eine Neuig-

38

keit; es wäre albern gewesen, nach einer Sonne zurückzuverlangen, der, als sie übermütig waltete, so mancher Seufzer gegolten hatte.

Zu diesem Zeitpunkt also zeigte Cipolla sich an. Cavaliere Cipolla, wie er auf den Plakaten genannt war, die eines Tages überall, auch im Speisesaal der Pensione Eleonora, sich ange-schlagen fanden, — ein fahrender Virtuose, ein Unterhaltungskünstler, Forzatore, Illusionista und Prestidigatore (so bezeichnete er sich), welcher dem hochansehnlichen Publikum von Torre di Venere mit einigen außerordentlichen Phänomenen geheimnisvoller und verblüffender Art aufzuwarten beabsichtigte. Ein Zauberkünst-ler! Die Ankündigung genügte, unseren Kleinen den Kopf zu verdrehen. Sie hatten noch nie einer solchen Darbietung beigewohnt, diese Ferienreise sollte ihnen die unbekannte Aufregung bescheren. Von Stund an lagen sie uns in den Ohren, für den Abend des Taschenspielers Eintrittskarten zu nehmen, und obgleich uns die späte Anfangsstunde der Veranstaltung, neun Uhr, von vornherein Be-denken machte, gaben wir in der Erwägung nach, daß wir ja nach einiger Kenntnisnahme von

Cipollas wahrscheinlich bescheidenen Künsten nach Hause gehen, daß auch die Kinder am folgenden Morgen ausschlafen könnten, und erstanden von Signora Angiolieri selbst, die eine Anzahl von Vorzugsplätzen für ihre Gäste in Kommission hatte, unsere vier Karten. Sie konnte für solide Leistungen des Mannes nicht gutsagen, und wir versahen uns solcher kaum; aber ein gewisses Zerstreuungsbedürfnis empfanden wir selbst, und die dringende Neugier der Kinder bewährte eine Art von Ansteckungskraft.

Das Lokal, in dem der Cavaliere sich vorstellen sollte, war ein Saalbau, der während der Hochsaison zu wöchentlich wechselnden Cinema-Vorführungen gedient hatte. Wir waren nie dort gewesen. Man gelangte dahin, indem man, vorbei am „Palazzo", einem übrigens verkäuflichen, kastellartigen Gemäuer aus herrschaftlichen Zeiten,

die Hauptstraße des Ortes verfolgte, an der auch
die Apotheke, der Coiffeur, die gebräuchlichsten
Einkaufsläden zu finden waren, und die gleichsam vom Feudalen über das Bürgerliche ins
Volkstümliche führte; denn sie lief zwischen ärm-
lichen Fischerwohnungen aus, vor deren Türen
alte Weiber Netze flickten, und hier, schon im
Populären, lag die „Sala", nichts Besseres eigentlich als eine allerdings geräumige Bretter-
bude, deren torähnlicher Eingang zu beiden
Seiten mit buntfarbigen und übereinandergekleb-
ten Plakaten geschmückt war. Einige Zeit nach
dem Diner also, am angesetzten Tage, pilgerten
wir im Dunklen dorthin, die Kinder in fest-
lichem Kleidchen und Anzug, beglückt von so viel
Ausnahme. Es war schwül, wie seit Tagen, es
wetterleuchtete manchmal und regnete etwas. Wir
gingen unter Schirmen. Es war eine Viertel-
stunde Weges.

*Im Durchgange kontrolliert, hatten wir unsere
Plätze selbst aufzusuchen. Sie fanden sich in der
dritten Bank links, und indem wir uns nieder-
ließen, mußten wir bemerken, daß man die ohne-
dies bedenkliche Anfangsstunde auch noch lax
behandelte: nur sehr allmählich begann ein
Publikum, das es darauf ankommen zu lassen
schien, zu spät zu kommen, das Parterre zu be-
setzen, auf welches, da keine Logen vorhanden
waren, der Zuschauerraum sich beschränkte.
Diese Säumigkeit machte uns etwas besorgt. Den
Kindern färbte schon jetzt eine mit Erwartung
hektisch gemischte Müdigkeit die Wangen. Ein-
zig die Stehplätze in den Seitengängen und im
Hintergrunde waren bei unserer Ankunft schon
komplett. Es stand da, halbnackte Arme auf ge-
streifter Trikotbrust verschränkt, allerlei auto-
chthone Männlichkeit von Torre di Venere, Fischer-
volk, unternehmend blickende junge Burschen;*

und wenn wir mit der Anwesenheit dieser ein-
gesessenen Volkstümlichkeit, die solchen Ver-
anstaltungen erst Farbe und Humor verleiht, sehr
einverstanden waren, so zeigten die Kinder sich
entzückt davon. Denn sie hatten Freunde unter
diesen Leuten, Bekanntschaften, die sie auf nach-
mittäglichen Spaziergängen am entfernteren
Strande gemacht. Oft, um die Stunde, wenn die
Sonne, müde ihrer gewaltigen Arbeit, ins Meer
sank und den vordringenden Schaum der Bran-
dung rötlich vergoldete, waren wir heimkehrend
auf bloßbeinige Fischergruppen gestoßen, die in
Reihen stemmend und ziehend, unter gedehnten
Rufen ihre Netze eingeholt, ihren meist dürftigen
Fang an Frutti di mare in triefende Körbe ge-
klaubt hatten; und die Kleinen hatten ihnen zu-
gesehen, ihre italienischen Brocken an den Mann
gebracht, beim Strickziehen geholfen, Kamerad-
schaft geschlossen. Jetzt tauschten sie Grüße mit

der Sphäre der Stehplätze, da war Guiscardo, da war Antonio, sie kannten die Namen, riefen sie winkend mit halber Stimme hinüber und bekamen ein Kopfnicken, ein Lachen sehr gesunder Zähne zur Antwort. Sieh doch, da ist sogar Mario vom „Esquisito", Mario, der uns die Schokolade bringt! Auch er will den Zauberer sehen, und er muß früh gekommen sein, er steht fast vorn, aber er bemerkt uns nicht, er gibt nicht acht, das ist so seine Art, obgleich er ein Kellnerbursche ist. Dafür winken wir dem Manne zu, der am Strande die Paddelboote vermietet, und der auch da steht, ganz hinten.

Es wurde neun ein Viertel, es wurde beinahe halb zehn Uhr. Sie begreifen unsere Nervosität. Wann würden die Kinder ins Bett kommen? Es war ein Fehler gewesen sie herzuführen, denn ihnen zuzumuten, den Genuß abzubrechen, kaum daß er recht begonnen, würde sehr hart sein. Mit

der Zeit hatte das Parkett sich gut gefüllt; ganz
Torre war da, so konnte man sagen, die Gäste
des Grand Hôtel, die Gäste der Villa Eleonora und
anderer Pensionen, bekannte Gesichter vom
Strande. Man hörte Englisch und Deutsch. Man
hörte das Französisch, das etwa Rumänen mit
Italienern sprechen. Mme. Angiolieri selbst saß
zwei Reihen hinter uns an der Seite ihres stillen
und glatzköpfigen Gatten, der mit zwei mittleren
Fingern seiner Rechten seinen Schnurrbart
strich. Alle waren spät gekommen, aber niemand
zu spät; Cipolla ließ auf sich warten.

Er ließ auf sich warten, das ist wohl der richtige Ausdruck. Er erhöhte die Spannung durch
die Verzögerung seines Auftretens. Auch hatte
man Sinn für diese Manier, aber nicht ohne
Grenzen. Gegen halb zehn Uhr begann das Publikum zu applaudieren, — eine liebenswürdige
Form, rechtmäßige Ungeduld zu äußern, da sie

46

zugleich Beifallslust zum Ausdruck bringt. Für
die Kleinen gehörte es schon zum Vergnügen,
sich daran zu beteiligen. Alle Kinder lieben es,
Beifall zu klatschen. Aus der populären Sphäre
rief es energisch: „Pronti!" und „Cominciamo!"
Und siehe, wie es zu gehen pflegt: Auf einmal
war der Beginn, welche Hindernisse ihm nun
so lange entgegengestanden haben mochten, leicht
zu ermöglichen. Ein Gongschlag ertönte, der von
den Stehplätzen mit mehrstimmigem Ah! beantwortet wurde, und die Gardine ging auseinander.
Sie enthüllte ein Podium, das nach seiner Aus-
stattung eher einer Schulstube als dem Wirkungs-
feld eines Taschenspielers glich, und zwar namentlich dank der schwarzen Wandtafel, die auf
einer Staffelei links im Vordergrunde stand.
Sonst waren noch ein gewöhnlicher gelber Kleiderständer, ein paar landesübliche Strohstühle und,
weiter im Hintergrunde, ein Rundtischchen zu

47

sehen, auf dem eine Wasserflasche mit Glas und, auf besonderem Tablett, ein Flakon voll hellgelber Flüssigkeit nebst Likörgläschen standen. Man hatte noch zwei Sekunden Zeit, diese Utensilien ins Auge zu fassen. Dann, ohne daß das Haus sich verdunkelt hätte, hielt Cavaliere Cipolla seinen Auftritt.

Er kam in jenem Geschwindschritt herein, in dem Erbötigkeit gegen das Publikum sich ausdrückt und der die Täuschung erweckt, als habe der Ankommende in diesem Tempo schon eine weite Strecke zurückgelegt, um vor das Angesicht der Menge zu gelangen, während er doch eben noch in der Kulisse stand. Der Anzug Cipollas unterstützte die Fiktion des Von-außen-her-Eintreffens. Ein Mann schwer bestimmbaren Alters, aber keineswegs mehr jung, mit scharfem, zerrüttetem Gesicht, stechenden Augen, faltig verschlossenem Munde, kleinem, schwarz gewich-

48

stem Schnurrbärtchen und einer sogenannten
Fliege in der Vertiefung zwischen Unterlippe und
Kinn, war er in eine Art von komplizierter

Abendstraßeneleganz gekleidet. Er trug einen
weiten schwarzen und ärmellosen Radmantel mit
Samtkragen und atlasgefütterter Pelerine, den er
mit den weiß behandschuhten Händen bei be-
hinderter Lage der Arme vorn zusammenhielt,
einen weißen Schal um den Hals und einen ge-
schweiften, schief in die Stirne gerückten Zylin-
derhut. Vielleicht mehr als irgendwo ist in Italien
das achtzehnte Jahrhundert noch lebendig und mit
ihm der Typus des Scharlatans, des marktschreie-
rischen Possenreißers, der für diese Epoche so
charakteristisch war, und dem man nur in
Italien noch in ziemlich wohl erhaltenen Bei-
spielen begegnen kann. Cipolla hatte in seinem
Gesamthabitus viel von diesem historischen
Schlage, und der Eindruck reklamehafter und
phantastischer Narretei, die zum Bilde gehört,
wurde schon dadurch erweckt, daß die anspruchs-
volle Kleidung ihm sonderbar, hier falsch ge-

50

strafft und dort in falschen Falten, am Leibe saß
oder gleichsam daran aufgehängt war: Irgend
etwas war mit seiner Figur nicht in Ordnung,
vorn nicht und hinten nicht, — später wurde das
deutlicher. Aber ich muß betonen, daß von per-
sönlicher Scherzhaftigkeit oder gar Clownerie in
seiner Haltung, seinen Mienen, seinem Benehmen nicht im geringsten die Rede sein konnte;
vielmehr sprachen strenge Ernsthaftigkeit, Ablehnung alles Humoristischen, ein gelegentlich
übellauniger Stolz, auch jene gewisse Würde und
Selbstgefälligkeit des Krüppels daraus, — was
freilich nicht hinderte, daß sein Verhalten anfangs an mehreren Stellen des Saales Lachen hervorrief.

Dies Verhalten hatte nichts Dienstfertiges
mehr; die Raschheit seiner Auftrittsschritte
stellte sich als reine Energieäußerung heraus, an
der Unterwürfigkeit keinen Teil gehabt hatte.

4*

An der Rampe stehend und sich mit lässigem
Zupfen seiner Handschuhe entledigend, wobei er
lange und gelbliche Hände entblößte, deren eine
ein Siegelring mit hochragendem Lasurstein
schmückte, ließ er seine kleinen strengen Augen,
mit schlaffen Säcken darunter, musternd durch
den Saal schweifen, nicht rasch, sondern indem
er hie und da auf einem Gesicht in überlegener
Prüfung verweilte — verkniffenen Mundes, ohne
ein Wort zu sprechen. Die zusammengerollten
Handschuhe warf er mit ebenso erstaunlicher wie
beiläufiger Geschicklichkeit über eine bedeutende
Entfernung hin genau in das Wasserglas auf
dem Rundtischchen und holte dann, immer
stumm umherblickend, aus irgendwelcher in-
neren Tasche ein Päckchen Zigaretten hervor, die
billigste Sorte der Regie, wie man am Karton er-
kannte, zog mit spitzen Fingern eine aus dem
Bündel und entzündete sie, ohne hinzusehen, mit

einem prompt funktionierenden Benzinfeuer-
zeug. Den tief eingeatmeten Rauch stieß er, arrogant grimassierend, beide Lippen zurückge-
zogen, dabei mit einem Fuße leise aufklopfend,
als grauen Sprudel zwischen seinen schadhaft ab-
genutzten, spitzigen Zähnen hervor.

Das Publikum beobachtete ihn so scharf, wie
es sich von ihm durchmustert sah. Bei den jungen
Leuten auf den Stehplätzen sah man zusammen-
gezogene Brauen und bohrende, nach einer Blöße
spähende Blicke, die dieser allzu Sichere sich
geben würde. Er gab sich keine. Das Hervorholen
und Wiederverwahren des Zigarettenpäckchens
und des Feuerzeuges war umständlich dank seiner
Kleidung; er raffte dabei den Abendmantel zurück, und man sah, daß ihm über dem linken
Unterarm an einer Lederschlinge unpassender-
weise eine Reitpeitsche mit klauenartiger sil-
erner Krücke hing. Man bemerkte ferner, daß

er keinen Frack, sondern einen Gehrock trug, und da er auch diesen aufhob, erblickte man eine mehrfarbige, halb von der Weste verdeckte Schärpe, die Cipolla um den Leib trug, und die hinter uns sitzende Zuschauer in halblautem Austausch für das Abzeichen des Cavaliere hielten. Ich lasse das dahingestellt, denn ich habe nie gehört, daß mit dem Cavalieretitel ein derartiges Abzeichen verbunden ist. Vielleicht war die Schärpe reiner Humbug, so gut wie das wortlose Dastehen des Gauklers, der immer noch nichts tat, als dem Publikum lässig und wichtig seine Zigarette vorzurauchen.

54

Man lachte, wie gesagt, und die Heiterkeit wurde fast allgemein, als eine Stimme im Stehparterre laut und trocken „Buona sera!" sagte.

Cipolla horchte hoch auf. „Wer war das?" fragte er gleichsam zugreifend. „Wer hat soeben gesprochen? Nun? Zuerst so keck und nun bange? Paura, eh?" Er sprach mit ziemlich hoher, etwas asthmatischer, aber metallischer Stimme. Er wartete.

„Ich war's", sagte in die Stille hinein der junge Mann, der sich so herausgefordert und bei der Ehre genommen sah, — ein schöner Bursche gleich neben uns, im Baumwollhemd, die Jacke über eine Schulter gehängt. Er trug sein schwarzes, starres Kraushaar hoch und wild, die Modefrisur des erweckten Vaterlandes, die ihn etwas entstellte und afrikanisch anmutete. „Bè . . . Das war ich. Es wäre Ihre Sache gewesen, aber ich zeigte Entgegenkommen."

Die Heiterkeit erneuerte sich. Der Junge war nicht auf den Mund gefallen. „Ha sciolto lo scilinguagnolo", äußerte man neben uns. Die populäre Lektion war schließlich am Platze gewesen.

„Ah bravo!" antwortete Cipolla. „Du gefällst mir, Giovanotto. Willst du glauben, daß ich dich längst gesehen habe? Solche Leute, wie du, haben meine besondere Sympathie, ich kann sie brauchen. Offenbar bist du ein ganzer Kerl. Du tust, was du willst. Oder hast du schon einmal nicht getan, was du wolltest? Oder gar getan, was du nicht wolltest? Was nicht du wolltest? Höre, mein Freund, es müßte bequem und lustig sein, nicht immer so den ganzen Kerl spielen und für beides aufkommen zu müssen, das Wollen und das Tun. Arbeitsteilung müßte da einmal eintreten — sistema americano, sa'. Willst du zum Beispiel jetzt dieser gewählten und verehrungswürdigen

56

Gesellschaft hier die Zunge zeigen, und zwar die ganze Zunge bis zur Wurzel?"

„Nein", sagte der Bursche feindselig. „Das will ich nicht. Es würde von wenig Erziehung zeugen."

„Es würde von gar nichts zeugen", erwiderte Cipolla, „denn du tätest es ja nur. Deine Erziehung in Ehren, aber meiner Meinung nach wirst du jetzt, ehe ich bis drei zähle, eine Rechtswendung ausführen und der Gesellschaft die Zunge herausstrecken, länger, als du gewußt hattest, daß du sie herausstrecken könntest."

Er sah ihn an, wobei seine stechenden Augen tiefer in die Höhlen zu sinken schienen. „Uno", sagte er und ließ seine Reitpeitsche, deren Schlinge er vom Arme hatte gleiten lassen, einmal kurz durch die Luft pfeifen. Der Bursche machte Front gegen das Publikum und streckte die Zunge so angestrengt-überlang heraus, daß man sah, es war das Äußerste, was er an Zungenlänge nur irgend zu bieten hatte. Dann nahm er mit nichtssagendem Gesicht wieder seine frühere Stellung ein.

„Ich war's", parodierte Cipolla, indem er zwinkernd mit dem Kopf auf den Jungen deutete. „Bè . . . das war ich." Damit wandte er sich, das Publikum seinen Eindrücken überlassend, zum Rundtischchen, goß sich aus dem Flakon, das offenbar Kognak enthielt, ein Gläschen ein und kippte es geübt.

Die Kinder lachten von Herzen. Von den gewechselten Worten hatten sie fast nichts verstanden; daß aber zwischen dem kuriosen Mann dort oben und jemandem aus dem Publikum gleich etwas so Drolliges vor sich gegangen war, amüsierte sie höchlichst, und da sie von den Darbietungen eines Abends, wie er verheißen war, keine bestimmte Vorstellung hatten, waren sie *bereit, diesen Anfang köstlich zu finden. Was uns betraf, so tauschten wir einen Blick, und ich erinnere mich, daß ich unwillkürlich mit den Lippen leise das Geräusch nachahmte, mit dem Cipolla seine Reitpeitsche hatte durch die Luft fahren lassen. Übrigens war klar, daß die Leute nicht wußten, was sie aus einer so ungereimten Eröffnung einer Taschenspielersoiree machen sollten, und nicht recht begriffen, was den Giovanotto, der doch sozusagen ihre Sache geführt hatte, plötzlich hatte bestimmen können, seine Keckheit gegen sie, das Publikum, zu wenden. Man fand sein Benehmen läppisch, kümmerte sich nicht weiter um ihn und wandte seine Aufmerksamkeit dem Künstler zu, der, vom Stärkungstischchen zurückkehrend, folgendermaßen zu sprechen fortfuhr: „Meine Damen und Herren", sagte er mit seiner asthmatisch-metallischen Stimme, „Sie sahen mich soeben etwas empfindlich*

59

gegen die Belehrung, die dieser hoffnungs-
volle junge Linguist ("questo linguista di belle
speranze", — man lachte über das Wortspiel)
mir erteilen zu sollen glaubte. Ich bin ein Mann
von einiger Eigenliebe, nehmen Sie das in Kauf!
Ich finde keinen Geschmack daran, mir anders
als ernsthaften und höflichen Sinnes guten Abend
wünschen zu lassen, — es in entgegengesetztem
Sinne zu tun, besteht wenig Anlaß. Indem man
mir einen guten Abend wünscht, wünscht man
sich selber einen, denn das Publikum wird nur
in dem Falle einen guten Abend haben, daß ich
einen habe, und darum tat dieser Liebling der
Mädchen von Torre di Venere (er hörte nicht
auf, gegen den Burschen zu sticheln) sehr wohl
daran, sogleich einen Beweis dafür zu geben, daß
ich heute einen habe und also auf seine Wünsche
verzichten kann. Ich darf mich rühmen, fast
lauter gute Abende zu haben. Ein schlechterer

läuft wohl einmal mit unter, doch ist das selten.
Mein Beruf ist schwer und meine Gesundheit
nicht die robusteste; ich habe einen kleinen Lei-
besschaden zu beklagen, der mich außerstand ge-
setzt hat, am Kriege für die Größe des Vater-
landes teilzunehmen. Allein mit den Kräften
meiner Seele und meines Geistes meistere ich das
Leben, was ja immer nur heißt: sich selbst be-
meistern, und schmeichle mir, mit meiner Arbeit
die achtungsvolle Anteilnahme der gebildeten
Öffentlichkeit erregt zu haben. Die führende
Presse hat diese Arbeit zu schätzen gewußt, der
Corriere della Sera erwies mir soviel Gerechtig-
keit, mich ein Phänomen zu nennen, und in Rom
hatte ich die Ehre, den Bruder des Duce unter den
Besuchern eines der Abende zu sehen, die ich
dort veranstaltete. Kleiner Gewohnheiten, die man
mir an so glänzender und erhabener Stelle nach-
zusehen die Gewogenheit hatte, glaubte ich mich an

einem vergleichsweise immerhin weniger bedeu-
tenden Platz, wie Torre di Venere (man lachte
auf Kosten des armen kleinen Torre), nicht
eigens entschlagen und nicht dulden zu sollen, daß
Personen, die durch die Gunst des weiblichen Ge-
schlechtes etwas verwöhnt scheinen, sie mir ver-
weisen." Jetzt hatte wieder der Bursche die Zeche
zu zahlen, den Cipolla nicht müde wurde in der
Rolle des donnaiuolo und ländlichen Hahnes im
Korbe vorzuführen, — wobei die zähe Empfindlichkeit und Animosität, mit der er auf ihn zu-
rückkam, in auffälligem Mißverhältnis zu den
Äußerungen seines Selbstgefühles und zu den
mondänen Erfolgen stand, deren er sich rühmte.
Gewiß mußte der Jüngling einfach als Belusti-
gungsthema herhalten, wie Cipolla sich jeden
Abend eines herauszugreifen und aufs Korn zu
nehmen gewohnt sein mochte. Aber es sprach aus
seinen Spitzen doch auch echte Gehässigkeit, über

deren menschlichen Sinn ein Blick auf die Kör-
perlichkeit beider belehrt haben würde, auch wenn
der Verwachsene nicht beständig auf das ohne
weiteres vorausgesetzte Glück des hübschen Jungen bei den Frauen angespielt hätte.

„Damit wir also unsere Unterhaltung beginnen", setzte er hinzu, „erlauben Sie, daß ich es
mir bequemer mache!"

Und er ging zum Kleiderständer, um abzu-
legen.

„Parla benissimo", stellte man in unserer
Nähe fest. Der Mann hatte noch nichts geleistet,
aber sein Sprechen allein ward als Leistung ge-
würdigt, er hatte damit zu imponieren gewußt.
Unter Südländern ist die Sprache ein Ingredienz
der Lebensfreude, dem man weit lebhaftere gesell-
schaftliche Schätzung entgegenbringt, als der
Norden sie kennt. Es sind vorbildliche Ehren, in
denen das nationale Bindemittel der Mutter-

sprache bei diesen Völkern steht, und etwas heiter
Vorbildliches hat die genußreiche Ehrfurcht, mit
der man ihre Formen und Lautgesetze betreut.
Man spricht mit Vergnügen, man hört mit Ver-
gnügen — und man hört mit Urteil. Denn es gilt
als Maßstab für den persönlichen Rang, wie
einer spricht; Nachlässigkeit, Stümperei erregen
Verachtung, Eleganz und Meisterschaft ver-
schaffen menschliches Ansehen, weshalb auch der
kleine Mann, sobald es ihm um seine Wirkung zu
tun ist, sich in gewählten Wendungen versucht
und sie mit Sorgfalt gestaltet. In dieser Hinsicht
also wenigstens hatte Cipolla sichtlich für sich
eingenommen, obgleich er keineswegs dem Men-
schenschlag angehörte, den der Italiener, in eigen-
tümlicher Mischung moralischen und ästhe-
tischen Urteils, als „Simpatico" anspricht.

Nachdem er seinen Seidenhut, seinen Schal
und Mantel abgetan, kam er, im Rock sich zu-

rechtrückend, die mit großen Knöpfen verschlossenen Manschetten hervorziehend und an seiner Humbugschärpe ordnend, wieder nach vorn. Er hatte sehr häßliches Haar, das heißt: sein oberer Schädel war fast kahl, und nur eine schmale, schwarz gewichste Scheitelfrisur lief, wie angeklebt, vom Wirbel nach vorn, während das Schläfenhaar, ebenfalls geschwärzt, seitlich zu den Augenwinkeln hingestrichen war, — die Haartracht etwa eines altmodischen Zirkusdirektors, lächerlich, aber durchaus zum ausgefallenen Persönlichkeitsstil passend und mit so viel Selbstsicherheit getragen, daß die öffentliche Empfindlichkeit gegen ihre Komik verhalten und stumm blieb. Der „kleine Leibesschaden", von dem er vorbeugend gesprochen hatte, war jetzt nur allzu deutlich sichtbar, wenn auch immer noch nicht ganz klar nach seiner Beschaffenheit: die Brust war zu hoch, wie gewohnt in solchen Fällen, aber der Verdruß im Rücken schien nicht an der gewohnten Stelle, zwischen den Schultern, zu sitzen, sondern tiefer, als eine Art Hüft- und Gesäßbuckel, der den Gang zwar nicht behinderte, aber ihn grotesk und bei jedem Schritt sonderbar ausladend gestaltete. Übrigens war der Unzuträglichkeit durch ihre Erwähnung gleichsam die Spitze abgebrochen worden, und zivilisiertes Feingefühl beherrschte angesichts ihrer spürbar den Saal.

„Zu Ihren Diensten!" sagte Cipolla. „Ihr Einverständnis vorausgesetzt, werden wir unser Programm mit einigen arithmetischen Übungen beginnen."

Arithmetik? Das sah nicht nach Zauberkunststücken aus. Die Vermutung regte sich schon, daß der Mann unter falscher Flagge segelte; nur welches seine richtige war, blieb undeutlich. Die Kinder begannen mir leid zu tun; aber für den Augenblick waren sie einfach glücklich, dabei zu sein.

*Das Zahlenspiel, das Cipolla nun anstellte,
war ebenso einfach wie durch seine Pointe ver-
blüffend. Er fing damit an, ein Blatt Papier mit
einem Reißstift an der oberen rechten Ecke der
Tafel zu befestigen und, indem er es hoch hob, mit
Kreide etwas aufs Holz zu schreiben. Er redete
unausgesetzt dabei, besorgt, seine Darbietungen
durch immerwährende sprachliche Begleitung
und Unterstützung vor Trockenheit zu bewahren,
wobei er sich selbst ein zungengewandter und
keinen Augenblick um einen plauderhaften Ein-
fall verlegener Conférencier war. Daß er sogleich
damit fortfuhr, die Kluft zwischen Podium und
Zuschauerraum aufzuheben, die schon durch das
sonderbare Geplänkel mit dem Fischerburschen
überbrückt worden war; daß er also Vertreter des
Publikums auf die Bühne nötigte und seinerseits über die hölzernen Stufen, die dort hinauf-
führten, herunterkam, um persönliche Berührung*

5*

mit seinen Gästen zu suchen, gehörte zu seinem
Arbeitsstil und gefiel den Kindern sehr. Ich weiß
nicht, wie weit die Tatsache, daß er dabei sofort
wieder in Häkeleien mit Einzelpersonen geriet, in
seinen Absichten und seinem System lag, obgleich
er sehr ernst und verdrießlich dabei blieb, — das
Publikum, wenigstens in seinen volkstümlichen
Elementen, schien jedenfalls der Meinung zu
sein, daß dergleichen zur Sache gehöre.

Nachdem er nämlich ausgeschrieben und das
Geschriebene unter dem Blatt Papier verheim-
licht hatte, drückte er den Wunsch aus, zwei Per-
sonen möchten aufs Podium kommen, um beim
Ausführen der bevorstehenden Rechnung behilf-
lich zu sein. Das biete keine Schwierigkeiten,
auch rechnerisch weniger Begabte seien ohne
weiteres geeignet dazu. Wie gewöhnlich meldete
sich niemand, und Cipolla hütete sich, den vor-
nehmen Teil seines Publikums zu belästigen. Er

hielt sich ans Volk und wandte sich an zwei lümmelstarke Burschen auf Stehplätzen im Hintergrunde des Saales, forderte sie heraus, sprach ihnen Mut zu, fand es tadelnswert, daß sie nur müßig gaffen und der Gesellschaft sich nicht gefällig erweisen wollten, und setzte sie wirklich in Bewegung. Mit plumpen Tritten kamen sie durch den Mittelgang nach vorn, erstiegen die Stufen und stellten sich, linkisch grinsend, unter den Bravi-Rufen ihrer Kameradschaft vor der Tafel auf. Cipolla scherzte noch ein paar Augenblicke mit ihnen, lobte die heroische Festigkeit ihrer Gliedmaßen, die Größe ihrer Hände, die ganz geschaffen seien, der Versammlung den erbetenen Dienst zu leisten, und gab dann dem einen den Kreidegriffel in die Hand mit der Weisung, einfach die Zahlen nachzuschreiben, die ihm würden zugerufen werden. Aber der Mensch erklärte, nicht schreiben zu können. „Non so scrivere", sagte er mit grober Stimme, und sein Genosse fügte hinzu: „Ich auch nicht."

Gott weiß, ob sie die Wahrheit sprachen oder sich nur über Cipolla lustig machen wollten. Jedenfalls war dieser weit entfernt, die Heiterkeit zu teilen, die ihr Geständnis erregte. Er war beleidigt und angewidert. Er saß in diesem Augenblick mit übergeschlagenem Bein auf einem Strohstuhl in der Mitte der Bühne und rauchte wieder eine Zigarette aus dem billigen Bündel, die ihm sichtlich desto besser mundete, als er, während die Trottel zum Podium stapften, einen zweiten Kognak zu sich genommen hatte. Wieder ließ er den tief eingezogenen Rauch zwischen den entblößten Zähnen ausströmen und blickte dabei, mit dem Fuße wippend, in strenger Ablehnung, wie ein Mann, der sich vor einer durchaus verächtlichen Erscheinung auf sich selbst und seine Würde zurückzieht, an den beiden fröhlichen Ehr-

losen vorbei und auch über das Publikum hinweg
ins Leere.

„Skandalös", sagte er kalt und verbissen.
„Geht an eure Plätze! Jedermann kann schreiben
in Italien, dessen Größe der Unwissenheit und
Finsternis keinen Raum bietet. Es ist ein schlech-
ter Scherz, vor den Ohren dieser internationalen
Gesellschaft eine Bezichtigung laut werden zu
lassen, mit der ihr nicht nur euch selbst erniedrigt, sondern auch die Regierung und das Land
dem Gerede aussetzt. Wenn wirklich Torre di
Venere der letzte Winkel des Vaterlandes sein
sollte, in den die Unkenntnis der Elementar-
wissenschaften sich geflüchtet hat, so müßte ich
bedauern, einen Ort aufgesucht zu haben, von
dem mir allerdings bekannt sein mußte, daß er an
Bedeutung hinter Rom in dieser und jener Beziehung zurücksteht . . ."

Hier wurde er von dem Burschen mit der

71

*nubischen Haartracht und der Jacke über der
Schulter unterbrochen, dessen Angriffslust, wie
man nun sah, nur vorübergehend abgedankt hatte,
und der sich erhobenen Hauptes zum Ritter
seines Heimatstädtchens aufwarf.*

*„Genug!" sagte er laut. „Genug der Witze über
Torre. Wir alle sind von hier und werden nicht
dulden, daß man die Stadt vor den Fremden ver-
höhnt. Auch diese beiden Leute sind unsere
Freunde. Wenn sie keine Gelehrten sind, so sind
sie dafür rechtschaffenere Jungen als vielleicht
mancher andere im Saal, der mit Rom prahlt,
obgleich er es auch nicht gegründet hat."*

*Das war ja ausgezeichnet. Der junge Mensch
hatte wahrhaftig Haare auf den Zähnen. Man
unterhielt sich bei dieser Art von Dramatik, obgleich sie den Eintritt ins eigentliche Programm
mehr und mehr verzögerte. Einem Wortwechsel
zuzuhören ist immer fesselnd. Gewisse Menschen*

belustigt das einfach, und sie genießen aus einer
Art von Schadenfreude ihr Nichtbeteiligtsein;
andere empfinden Beklommenheit und Erregung,
und ich verstehe sie sehr gut, wenn ich auch da-
mals den Eindruck hatte, daß alles gewisser-
maßen auf Übereinkunft beruhte, und daß so-
wohl die beiden analphabetischen Dickhäuter
wie auch der Giovanotto in der Jacke dem Künst-
ler halb und halb zur Hand gingen, um Theater
zu produzieren. Die Kinder lauschten mit vollem
Genuß. Sie verstanden nichts, aber die Akzente
hielten sie in Atem. Das war also ein Zauber-
abend, zum mindesten ein italienischer. Sie
fanden es ausdrücklich sehr schön.

   Cipolla war aufgestanden und mit zwei aus der
Hüfte ladenden Schritten an die Rampe ge-
kommen.

   „Aber sieh ein bißchen!" sagte er mit grim-
miger Herzlichkeit. „Ein alter Bekannter! Ein

Jüngling, der das Herz auf der Zunge hat! (Er
sagte „sulla linguaccia", was belegte Zunge heißt
und große Heiterkeit hervorrief.) Geht, meine
Freunde!" wandte er sich an die beiden Tölpel.
„Genug von euch, ich habe es jetzt mit diesem
Ehrenmann zu tun, con questo torregiano di
Venere, diesem Türmer der Venus, der sich
zweifellos süßer Danksagungen versieht für seine
Wachsamkeit . . ."

„Ah, non scherzamo! Reden wir ernst!" rief
der Bursche. Seine Augen blitzten, und er machte
wahrhaftig eine Bewegung, als wollte er die Jacke
abwerfen und zur direktesten Auseinander-
setzung übergehen.

Cipolla nahm das nicht tragisch. Anders als
wir, die einander bedenklich ansahen, hatte der
Cavaliere es mit einem Landsmann zu tun, hatte
den Boden der Heimat unter den Füßen. Er blieb
kalt, zeigte vollkommene Überlegenheit. Eine

lächelnde Kopfbewegung seitlich gegen den Kampfhahn, den Blick ins Publikum gerichtet, rief dieses zum mitlächelnden Zeugen einer Rauflust auf, durch die der Gegner nur die Schlichtheit seiner Lebensform enthüllte. Und dann geschah abermals etwas Merkwürdiges, was jene Überlegenheit in ein unheimliches Licht setzte und die kriegerische Reizung, die von der Szene ausging, auf beschämende und unerklärliche Art ins Lächerliche zog.

Cipolla näherte sich dem Burschen noch mehr, wobei er ihm eigentümlich in die Augen sah. Er kam sogar die Stufen, die dort, links von uns, ins Auditorium führten, halbwegs herab, so daß er, etwas erhöht, dicht vor dem Streitbaren stand. Die Reitpeitsche hing an seinem Arm.

„Du bist nicht zu Scherzen aufgelegt, mein Sohn", sagte er. „Das ist nur zu begreiflich, denn jedermann sieht, daß du nicht wohl bist. Schon

75

deine Zunge, deren Reinheit zu wünschen übrig-
ließ, deutete auf akute Unordnung des gastrischen
Systems. Man sollte keine Abendunterhaltung
besuchen, wenn man sich fühlt wie du, und du
selbst, ich weiß es, hast geschwankt, ob du nicht
besser tätest, ins Bett zu gehen und dir einen Leib-
wickel zu machen. Es war leichtsinnig, heute
nachmittag so viel von diesem weißen Wein zu
trinken, der schrecklich sauer war. Jetzt hast du
die Kolik, daß du dich krümmen möchtest vor
Schmerzen. Tu's nur ungescheut! Es ist eine gewisse Linderung verbunden mit dieser Nach-
giebigkeit des Körpers gegen den Krampf der
Eingeweide."

Indem er dies Wort für Wort mit ruhiger Ein-
dringlichkeit und einer Art strenger Teilnahme
sprach, schienen seine Augen, in die des jungen
Menschen getaucht, über ihren Tränensäcken zugleich welk und brennend zu werden, — es waren

sehr sonderbare Augen, und man verstand, daß sein Partner nicht nur aus Mannesstolz die seinen nicht von ihnen lösen mochte. Auch war von solchem Hochmut alsbald in seinem bronzierten Gesicht nichts mehr zu bemerken. Er sah den Cavaliere mit offenem Munde an, und dieser Mund lächelte in seiner Offenheit verstört und kläglich.

„Krümme dich!" wiederholte Cipolla. „Was bleibt dir anderes übrig? Bei solcher Kolik muß man sich krümmen. Du wirst dich doch gegen die natürliche Reflexbewegung nicht sträuben, nur, weil man sie dir empfiehlt."

Der junge Mann hob langsam die Unterarme, und während er sie anpressend über dem Leibe kreuzte, verbog sich sein Körper, wandte sich seitlich vornüber, tiefer und tiefer, ging bei verstellten Füßen und gegeneinandergekehrten Knien in die Beuge, so daß er endlich, ein Bild verrenkter

Pein, beinahe am Boden hockte. So ließ Cipolla
ihn einige Sekunden stehen, tat dann mit der
Reitpeitsche einen kurzen Hieb durch die Luft
und kehrte ausladend zum Rundtischchen zurück,
wo er einen Kognak kippte.

„Il boit beaucoup", stellte hinter uns eine
Dame fest. War das alles, was ihr auffiel? Es

wollte uns nicht deutlich werden, wie weit das Publikum schon im Bilde war. Der Bursche stand wieder aufrecht, etwas verlegen lächelnd, als wüßte er nicht so recht, wie ihm geschehen. Man hatte die Szene mit Spannung verfolgt und applaudierte ihr, als sie beendet war, indem man sowohl „Bravo, Cipolla!" wie „Bravo, Giovanotto!" rief. Offenbar faßte man den Ausgang des Streites nicht als persönliche Niederlage des jungen Menschen auf, sondern ermunterte ihn wie einen Schauspieler, der eine klägliche Rolle lobenswert durchgeführt hat. Wirklich war seine Art, sich vor Leibschmerzen zu krümmen, höchst ausdrucksvoll, in ihrer Anschaulichkeit gleichsam für die Galerie berechnet und sozusagen eine schauspielerische Leistung gewesen. Aber ich bin nicht sicher, wieweit das Verhalten des Saales nur dem menschlichen Taktgefühl zuzuschreiben war, in dem der Süden uns überlegen ist, und wie-

weit es auf eigentlicher Einsicht in das Wesen der Dinge beruhte.

Der Cavaliere, gestärkt, hatte sich eine frische Zigarette angezündet. Der arithmetische Versuch konnte wieder in Angriff genommen werden. Ohne Schwierigkeit fand sich ein junger Mann aus den hinteren Sitzreihen, der bereit war, diktierte Ziffern auf die Tafel zu schreiben. Wir kannten ihn auch; die ganze Unterhaltung gewann etwas Familiäres dadurch, daß man so viele Gesichter kannte. Es war der Angestellte des Kolonialwaren- und Obstladens in der Hauptstraße und hatte uns mehrmals in guter Form bedient. Er handhabe die Kreide mit kaufmännischer Gewandtheit, während Cipolla, zu unserer Ebene herabgestiegen, sich in seiner verwachsenen Gangart durch das Publikum bewegte und Zahlen einsammelte, zwei-, drei- und vierstellige nach freier Wahl, die er den Befragten von den Lippen nahm, um sie seinerseits dem

jungen Krämer zuzurufen, der sie untereinander

reihte. Dabei war alles, im wechselseitigen Ein-

verständnis, auf Unterhaltung, Jux, rednerische

Abschweifung berechnet. Es konnte nicht fehlen,

daß der Künstler auf Fremde stieß, die mit der

inländischen Zahlensprache nicht fertig wurden,

und mit denen er sich lange auf hervorgekehrt

ritterliche Art bemühte, unter der höflichen

Heiterkeit der Landeskinder, die er dann wohl in

Verlegenheit brachte, indem er sie nötigte, eng-

lisch und französisch vorgebrachte Ziffern zu ver-

dolmetschen. Einige nannten Zahlen, die große

Jahre aus der italienischen Geschichte bezeich-

neten. Cipolla erfaßte sie sofort und knüpfte im

Weitergehen patriotische Betrachtungen daran.

Jemand sagte „Zero!", und der Cavaliere, streng

beleidigt wie bei jedem Versuch, ihn zum Narren

zu halten, erwiderte über die Schulter, das sei

*eine weniger als zweistellige Zahl, worauf ein
anderer Spaßvogel „Null, null" rief und den
Heiterkeitserfolg damit hatte, dessen die Anspie-
lung auf natürliche Dinge unter Südländern gewiß sein kann. Der Cavaliere allein hielt sich
würdig ablehnend, obgleich er die Anzüglichkeit
geradezu herausgefordert hatte; doch gab er
achselzuckend auch diesen Rechnungsposten dem
Schreiber zu Protokoll.*

*Als etwa fünfzehn Zahlen in verschieden langen
Gliedern auf der Tafel standen, verlangte Cipolla
die gemeinsame Addition. Geübte Rechner möchten sie vor der Schrift im Kopfe vornehmen, aber
es stand frei, Crayon und Taschenbuch zu Rate
zu ziehen. Cipolla saß, während man arbeitete,
auf seinem Stuhl neben der Tafel und rauchte
grimassierend, mit dem selbstgefällig anspruchs-
vollen Gehaben des Krüppels. Die fünfstellige
Summe war rasch bereit. Jemand teilte sie mit,*

ein anderer bestätigte sie, das Ergebnis eines Drit-
ten wich etwas ab, das des Vierten stimmte wieder
überein. Cipolla stand auf, klopfte sich etwas
Asche vom Rock, lüftete das Blatt Papier an der
oberen rechten Ecke der Tafel und ließ das dort
von ihm Geschriebene sehen. Die richtige Summe,
einer Million sich nähernd, stand schon da. Er
hatte sie im voraus aufgezeichnet.

Staunen und großer Beifall. Die Kinder waren
überwältigt. Wie er das gemacht habe, wollten sie
wissen. Wir bedeuteten sie, das sei ein Trick,
nicht ohne weiteres zu verstehen, der Mann sei
eben ein Zauberkünstler. Nun wußten sie, was
das war, die Soiree eines Taschenspielers. Wie
erst der Fischer Leibschmerzen bekam und nun
das fertige Resultat auf der Tafel stand, — es war
herrlich, und wir sahen mit Besorgnis, daß es
trotz ihrer heißen Augen und trotzdem die Uhr
schon jetzt fast halb elf war, sehr schwer sein

6*

würde, sie wegzubringen. Es würde Tränen geben.
Und doch war klar, daß dieser Bucklige nicht
zauberte, wenigstens nicht im Sinne der Geschicklichkeit, und daß dies gar nichts für Kinder war.
Wiederum weiß ich nicht, was eigentlich das
Publikum sich dachte; aber um die „freie Wahl"
bei Bestimmung der Summanden war es offenbar
recht zweifelhaft bestellt gewesen; dieser und jener
der Befragten mochte wohl aus sich selbst geant-
wortet haben, im ganzen aber war deutlich, daß
Cipolla sich seine Leute ausgesucht, und daß der
Prozeß, abzielend auf das vorgezeichnete Ergebnis, unter seinem Willen gestanden hatte, — wobei immer noch sein rechnerischer Scharfsinn zu
bewundern blieb, wenn das andere sich der Bewunderung seltsam entzog. Dazu der Patriotis-
mus und die reizbare Würde: — die Landsleute
des Cavaliere mochten sich bei alldem harmlos in
ihrem Elemente fühlen und zu Späßen aufgelegt

84

bleiben; den von außen Kommenden mutete die Mischung beklemmend an.

Übrigens sorgte Cipolla selbst dafür, daß der Charakter seiner Künste jedem irgendwie Wissenden unzweifelhaft wurde, freilich ohne daß ein Name, ein Terminus fiel. Er sprach wohl davon, denn er sprach immerwährend, aber nur in unbestimmten, anmaßenden und reklamehaften Ausdrücken. Er ging noch eine Weile auf dem eingeschlagenen experimentellen Wege fort, machte die Rechnungen erst verwickelter, indem er zur Zusammenzählung Übungen aus den anderen Spezies fügte, und vereinfachte sie dann aufs äußerste, um zu zeigen, wie es zuging. Er ließ einfach Zahlen „raten", die er vorher unter das Blatt Papier geschrieben hatte. Es gelang fast immer. Jemand gestand, daß er eigentlich einen anderen Betrag habe nennen wollen; da aber im selben Augenblick die Reitpeitsche des Cavaliere vor ihm

durch die Luft gepfiffen sei, habe er sich die Zahl
entschlüpfen lassen, die sich dann auf der Tafel
vorgefunden. Cipolla lachte mit den Schultern. Er
heuchelte Bewunderung für das Ingenium der Befragten; aber diese Komplimente hatten etwas
Höhnisches und Entwürdigendes, ich glaube nicht,
daß sie von den Versuchspersonen angenehm
empfunden wurden, obgleich sie dazu lächelten
und den Beifall teilweise zu ihren Gunsten buchen
mochten. Auch hatte ich nicht den Eindruck, daß
der Künstler bei seinem Publikum beliebt war.
Eine gewisse Abneigung und Aufsässigkeit war
durchzufühlen; aber von der Höflichkeit zu
schweigen, die solche Regungen im Zaum hielt,
verfehlten Cipollas Können, seine strenge Sicher-
heit nicht, Eindruck zu machen, und selbst die
Reitpeitsche trug, meine ich, etwas dazu bei, daß
die Revolte im Unterirdischen blieb.

Vom bloßen Zahlenversuch kam er zu dem mit

Karten. Es waren zwei Spiele, die er aus der Tasche zog, und so viel weiß ich noch, daß das Grund- und Musterbeispiel der Experimente, die er damit anstellte, dies war, daß er aus dem einen, ungesehen, drei Karten wählte, die er in der Innentasche seines Gehrocks verbarg, und daß dann die Versuchsperson aus dem vorgehaltenen zweiten Spiel ebendiese drei Karten zog, — nicht immer vollkommen die richtigen; es kam vor, daß nur zweie stimmten, aber in der Mehrzahl der Fälle triumphierte Cipolla, wenn er seine drei Blätter veröffentlichte, und dankte leicht für den Beifall, mit dem man wohl oder übel die Kräfte anerkannte, die er bewährte. Ein junger Herr in vorderster Reihe, rechts von uns, mit stolz geschnittenem Gesicht, Italiener, meldete sich und erklärte, er sei entschlossen, nach klarem Eigenwillen zu wählen und sich jeder wie immer gearteten Beeinflussung bewußt entgegenzustemmen.

*Wie Cipolla sich unter diesen Umständen
den Ausgang denke. — „Sie werden mir", antwortete der Cavaliere, „damit meine Aufgabe
etwas erschweren. An dem Ergebnis wird Ihr
Widerstand nichts ändern. Die Freiheit existiert,
und auch der Wille existiert; aber die Willens-
freiheit existiert nicht, denn ein Wille, der sich
auf seine Freiheit richtet, stößt ins Leere. Sie sind
frei, zu ziehen oder nicht zu ziehen. Ziehen Sie
aber, so werden Sie richtig ziehen, — desto siche-
rer, je eigensinniger Sie zu handeln versuchen."*

*Man mußte zugeben, daß er seine Worte nicht
besser hätte wählen können, um die Wasser zu
trüben und seelische Verwirrung anzurichten. Der
Widerspenstige zögerte nervös, bevor er zugriff.
Er zog eine Karte und verlangte sofort zu sehen,
ob sie unter den verborgenen sei. „Aber wie?" ver-
wunderte sich Cipolla. „Warum halbe Arbeit
tun?" Da jedoch der Trotzige auf dieser Vorprobe*

bestand: — „E servito“, sagte der Gaukler mit ungewohnt lakaienhafter Gebärde und zeigte, ohne selbst hinzusehen, sein Dreiblatt fächerförmig vor. Die links steckende Karte war die gezogene.

Der Freiheitskämpfer setzte sich zornig, unter dem Beifall des Saales. Wieweit Cipolla die mit ihm geborenen Gaben auch noch durch mechanische Tricks und Behendigkeitsmittelchen unterstützte, mochte der Teufel wissen. Eine solche Verquickung angenommen, vereinigte die ungebundene Neugier aller sich jedenfalls im Genuß einer phänomenalen Unterhaltung und in der Anerkennung einer Berufstüchtigkeit, die niemand leugnete. „Lavora bene!“ Wir hörten die Feststellung da und dort in unserer Nähe, und sie bedeutete den Sieg sachlicher Gerechtigkeit über Antipathie und stille Empörung.

Vor allem, nach seinem letzten, fragmentarischen, doch eben dadurch nur desto eindrucks-

volleren Erfolge, hatte Cipolla sich wieder mit
einem Kognak gestärkt. In der Tat, er „trank
viel", und das war etwas schlimm zu sehen. Aber
er brauchte Likör und Zigarette offenbar zur Er-
haltung und Erneuerung seiner Spannkraft, an
die, er hatte es selbst angedeutet, in mehrfacher
Beziehung starke Ansprüche gestellt wurden.
Wirklich sah er schlecht aus zwischenein, hohl-
äugig und verfallen. Das Gläschen brachte das
jeweils ins gleiche, und seine Rede lief danach,
während der eingeatmete Rauch ihm grau aus der
Lunge sprudelte, belebt und anmaßend. Ich weiß
bestimmt, daß er von den Kartenkunststücken zu
jener Art von Gesellschaftsspielen überging, die
auf über- oder untervernünftigen Fähigkeiten der
menschlichen Natur, auf Intuition und „magneti-
scher" Übertragung, kurzum auf einer niedrigen
Form der Offenbarung beruhen. Nur die intimere
Reihenfolge seiner Leistungen weiß ich nicht

mehr. *Auch langweile ich Sie nicht mit der Schilderung dieser Versuche; jeder kennt sie, jeder hat einmal daran teilgenommen, an diesem Auffinden versteckter Gegenstände, diesem blinden Ausführen zusammengesetzter Handlungen, zu dem die Anweisung auf unerforschtem Wege, von Organismus zu Organismus ergeht. Jeder hat auch dabei seine kleinen, neugierig-verächtlichen und kopfschüttelnden Einblicke in den zweideutig-unsauberen und unentwirrbaren Charakter des Okkulten getan, das in der Menschlichkeit seiner Träger immer dazu neigt, sich mit Humbug und nachhelfender Mogelei vexatorisch zu vermischen, ohne daß dieser Einschlag etwas gegen die Echtheit anderer Bestandteile des bedenklichen Amalgams bewiese. Ich sage nur, daß alle Verhältnisse natürlich sich verstärken, der Eindruck nach jeder Seite an Tiefe gewinnt, wenn ein Cipolla Leiter und Hauptakteur des dunklen Spieles ist. Er saß,* den Rücken gegen das Publikum gekehrt, im Hintergrunde des Podiums und rauchte, während irgendwo im Saale unter der Hand die Vereinbarungen getroffen wurden, denen er gehorchen, der Gegenstand von Hand zu Hand ging, den er aus seinem Versteck ziehen und mit dem er Vorbestimmtes ausführen sollte. Es war das typische bald getrieben zustoßende, bald lauschend stokkende Vorwärtstasten, Fehltappen und sich mit jäh eingegebener Wendung Verbessern, das er zu beobachten gab, wenn er an der Hand eines wissenden Führers, der angewiesen war, sich körperlich rein folgsam zu verhalten, aber seine Gedanken auf das Verabredete zu richten, sich zurückgelegten Hauptes und mit vorgestreckter Hand im Zickzack durch den Saal bewegte. Die Rollen schienen vertauscht, der Strom ging in umgekehrter Richtung, und der Künstler wies in immer fließender Rede ausdrücklich darauf hin. Der

leidende, empfangende, der ausführende Teil, des-
sen Wille ausgeschaltet war, und der einen stum-
men in der Luft liegenden Gemeinschaftswillen
vollführte, war nun er, der so lange gewollt und
befohlen hatte; aber er betonte, daß es auf eins
hinauslaufe. Die Fähigkeit, sagte er, sich seiner
selbst zu entäußern, zum Werkzeug zu werden, im
unbedingtesten und vollkommensten Sinne zu ge-
horchen, sei nur die Kehrseite jener anderen, zu
wollen und zu befehlen; es sei ein und dieselbe
Fähigkeit; Befehlen und Gehorchen, sie bildeten
zusammen nur ein Prinzip, eine unauflösliche
Einheit; wer zu gehorchen wisse, der wisse auch
zu befehlen, und ebenso umgekehrt; der eine Ge-
danke sei in dem anderen einbegriffen, wie Volk
und Führer ineinander einbegriffen seien, aber
die Leistung, die äußerst strenge und aufreibende
Leistung, sei jedenfalls seine, des Führers und
Veranstalters, in welchem der Wille Gehorsam,

93

der Gehorsam Wille werde, dessen Person die Ge-
burtsstätte beider sei, und der es also sehr schwer
habe. Er betonte dies stark und oft, daß er es
außerordentlich schwer habe, wahrscheinlich um
seine Stärkungsbedürftigkeit und das häufige
Greifen zum Gläschen zu erklären.

Er tappte seherisch umher, geleitet und getragen
vom öffentlichen, geheimen Willen. Er zog eine
steinbesetzte Nadel aus dem Schuh einer Engländerin, wo man sie verborgen hatte, trug sie stok-
kend und getrieben zu einer anderen Dame — es
war Signora Angiolieri — und überreichte sie
ihr kniefällig mit vorbestimmten und, wenn auch
naheliegenden, so doch nicht leicht zu treffenden
Worten; denn sie waren auf Französisch ver-
abredet worden. „Ich mache Ihnen ein Geschenk
zum Zeichen meiner Verehrung!" hatte er zu
sagen, und uns schien, als läge Bosheit in der
Härte dieser Bedingung; ein Zwiespalt drückte

sich darin aus zwischen dem Interesse am Gelingen des Wunderbaren und dem Wunsch, der anspruchsvolle Mann möchte eine Niederlage erleiden. Aber sehr merkwürdig war es, wie Cipolla, auf den Knien vor Mme. Angiolieri, unter versuchenden Reden um die Erkenntnis des ihm Aufgegebenen rang. „Ich muß etwas sagen“, äußerte er, „und ich fühle deutlich, was es zu sagen gilt. Dennoch fühle ich zugleich, daß es falsch würde, wenn ich es über die Lippen ließe. Hüten Sie sich, mir mit irgendeinem unwillkürlichen Zeichen zu Hilfe zu kommen!“ rief er aus, obgleich oder weil zweifellos gerade dies es war, worauf er hoffte . . . „Pensez très fort!“ rief er auf einmal in schlechtem Französisch und sprudelte dann den befohlenen Satz zwar auf Italienisch hervor, aber so, daß er das Schluß- und Hauptwort plötzlich in die ihm wahrscheinlich ganz ungeläufige Schwestersprache fallen ließ und

95

statt „venerazione" „vénération" mit einem un-
möglichen Nasal am Ende sagte, — ein Teilerfolg,
der nach den schon vollendeten Leistungen, dem
Auffinden der Nadel, dem Gang zur Empfän-
gerin und dem Kniefall, fast eindrucksvoller
wirkte, als der restlose Sieg es getan hätte, und be-
wunderungsvollen Beifall hervorrief.

Cipolla trocknete sich aufstehend den Schweiß
von der Stirn. Sie verstehen, daß ich nur ein Beispiel seiner Arbeit gab, indem ich von der Nadel
erzählte, — es ist mir besonders im Gedächtnis geblieben. Aber er wandelte die Grundform mehr-
fach ab und durchflocht diese Versuche, so daß
viel Zeit darüber verging, mit Improvisationen
verwandter Art, zu denen die Berührung mit dem
Publikum ihm auf Schritt und Tritt verhalf. Namentlich von der Person unserer Wirtin schien
Eingebung auf ihn auszugehen; sie entlockte ihm
verblüffende Wahrsagungen. „Es entgeht mir

96

nicht, Signora", sagte er zu ihr, „daß es mit Ihnen eine besondere und ehrenvolle Bewandtnis hat. Wer zu sehen weiß, der erblickt um Ihre reizende Stirn einen Schein, der, wenn mich nicht alles täuscht, einst stärker war als heute, einen langsam verbleichenden Schein ... Kein Wort! Helfen Sie mir nicht! An Ihrer Seite sitzt Ihr Gatte — nicht wahr", wandte er sich an den stillen Herrn Angiolieri, „Sie sind der Gatte dieser Dame, und Ihr Glück ist vollkommen. Aber in dieses Glück hinein ragen Erinnerungen ... fürstliche Erinnerungen ... Das Vergangene, Signora, spielt in Ihrem gegenwärtigen Leben, wie mir scheint, eine bedeutende Rolle. Sie kannten einen König ... hat nicht ein König in vergangenen Tagen Ihren Lebensweg gekreuzt?"

„Doch nicht", hauchte die Spenderin unserer Mittagsuppe, und ihre braungoldenen Augen schimmerten in der Edelblässe ihres Gesichtes.

„Doch nicht? Nein, kein König, ich sprach gleichsam nur im rohen und unreinen. Kein König, kein Fürst, — aber dennoch ein Fürst, ein König höherer Reiche. Ein großer Künstler war es, an dessen Seite Sie einst . . . Sie wollen mir widersprechen, und doch können Sie es nicht mit voller Entschiedenheit, können es nur zur Hälfte tun. Nun denn! Es war eine große, eine welt-berühmte K ü n s t l e r i n, *deren Freundschaft Sie in zarter Jugend genossen, und deren heiliges Ge-dächtnis Ihr ganzes Leben überschattet und ver-klärt . . . Den Namen? Ist es nötig, Ihnen den Namen zu nennen, dessen Ruhm sich längst mit dem des Vaterlandes verbunden hat und mit ihm unsterblich ist? Eleonora Duse",* schloß er leise und feierlich.*

Die kleine Frau nickte überwältigt in sich hin-ein. Der Applaus glich einer nationalen Kund-gebung. Fast jedermann im Saale wußte von Frau

Angiolieris bedeutender Vergangenheit und ver-
mochte also die Intuition des Cavaliere zu wür-
digen, voran die anwesenden Gäste der Casa Eleo-
nora. Es fragte sich nur, wieviel er selbst davon
gewußt, beim ersten berufsmäßigen Umhorchen
nach seiner Ankunft in Torre davon in Erfah-
rung gebracht haben mochte ... Aber ich habe gar
keinen Grund, Fähigkeiten, die ihm vor unseren
Augen zum Verhängnis wurden, rationalistisch
zu verdächtigen ...

Vor allem gab es nun eine Pause, und unser
Gebieter zog sich zurück. Ich gestehe, daß ich
mich vor diesem Punkte meines Berichtes ge-
fürchtet habe, fast seit ich zu erzählen begann. Die
Gedanken der Menschen zu lesen, ist meistens
nicht schwer, und hier ist es sehr leicht. Unfehlbar
werden Sie mich fragen, warum wir nicht endlich
weggegangen seien, — und ich muß Ihnen die
Antwort schuldig bleiben. Ich verstehe es nicht

7*

und weiß mich tatsächlich nicht zu verantworten.
Es muß damals bestimmt schon mehr als elf Uhr
gewesen sein, wahrscheinlich noch später. Die
Kinder schliefen. Die letzte Versuchsserie war für
sie recht langweilig gewesen, und so hatte die Na-
tur es leicht, ihr Recht zu erkämpfen. Sie schliefen
auf unseren Knien, die Kleine auf den meinen,
der Junge auf denen der Mutter. Das war einer-
seits tröstlich, dann aber doch auch wieder ein
Grund zum Erbarmen und eine Mahnung, sie in
ihre Betten zu bringen. Ich versichere, daß wir
ihr gehorchen wollten, dieser rührenden Mah-
nung, es ernstlich wollten. Wir weckten die armen
Dinger mit der Versicherung, nun sei es entschie-
den die höchste Zeit zur Heimkehr. Aber ihr
flehentlicher Widerstand begann mit dem Augen-
blick ihrer Selbstbesinnung, und Sie wissen, daß
der Abscheu von Kindern gegen das vorzeitige
Verlassen einer Unterhaltung nur zu brechen,

nicht zu überwinden ist. Es sei herrlich beim Zauberer, klagten sie, wir wüßten nicht, was noch kommen solle, man müsse wenigstens abwarten, womit er nach der Pause beginnen werde, sie schliefen gern zwischendurch ein bißchen, aber nur nicht nach Hause, nur nicht ins Bett, während der schöne Abend hier weitergehe!

Wir gaben nach, wenn auch, soviel wir wußten, nur für den Augenblick, für eine Weile noch, vorläufig. Zu entschuldigen ist es nicht, daß wir blieben, und es zu erklären fast ebenso schwer. Glaubten wir B sagen zu müssen, nachdem wir A gesagt und irrtümlicherweise die Kinder überhaupt hierher gebracht hatten? Ich finde das ungenügend. Unterhielten wir selbst uns denn? Ja und nein, unsere Gefühle für Cavaliere Cipolla waren höchst gemischter Natur, aber das waren, wenn ich nicht irre, die Gefühle des ganzen Saales, und dennoch ging niemand weg. Unterlagen wir einer Faszination, die von diesem auf so sonderbare Weise sein Brot verdienenden Manne auch neben dem Programm, auch zwischen den Kunststücken ausging und unsere Entschlüsse lähmte? Ebensogut mag die bloße Neugier in Rechnung zu stellen sein. Man möchte wissen, wie ein Abend sich fortsetzen wird, der so begonnen hat, und übrigens hatte Cipolla seinen Abgang mit Ankündigungen begleitet, die darauf schließen ließen, daß er seinen Sack keineswegs geleert habe und eine Steigerung der Effekte zu erwarten sei.

Aber das alles ist es nicht, oder es ist nicht alles. Das richtigste wäre die Frage, warum wir jetzt nicht gingen, mit der anderen zu beantworten, warum wir vorher Torre nicht verlassen hatten. Das ist meiner Meinung nach ein und dieselbe Frage, und um mich herauszuwinden, könnte ich einfach sagen, ich hätte sie schon beantwortet. Es ging hier geradeso merkwürdig und spannend,

geradeso unbehaglich, kränkend und bedrückend
zu wie in Torre überhaupt, ja, mehr als geradeso:
dieser Saal bildete den Sammelpunkt aller Merkwürdigkeit, Nichtgeheuerlichkeit und Gespannt-
heit, womit uns die Atmosphäre des Aufent-
haltes geladen schien; dieser Mann, dessen Rückkehr wir erwarteten, dünkte uns die Personifika-
tion von alldem; und da wir im großen nicht „ab-
gereist" waren, wäre es unlogisch gewesen, es sozusagen im kleinen zu tun. Nehmen Sie das als
Erklärung unserer Seßhaftigkeit an oder nicht!
Etwas Besseres weiß ich einfach nicht vorzu-
bringen. —

Es gab also eine Pause von zehn Minuten, aus
denen annähernd zwanzig wurden. Die Kinder,
wach geblieben und entzückt von unserer Nach-
giebigkeit, wußten sie vergnüglich auszufüllen.
Sie nahmen ihre Beziehungen zur volkstümlichen
Sphäre wieder auf, zu Antonio, zu Guiscardo, zu

dem Manne der Paddelboote. Sie riefen den Fischern durch die hohlen Hände Wünsche zu, deren Wortlaut sie von uns eingeholt hatten: „Morgen viele Fischchen!" „Ganz voll die Netze!" Sie riefen zu Mario, dem Kellnerburschen vom „Esquisito", hinüber: „Mario, una cioccolata e biscotti!" Und er gab acht diesmal und antwortete lächelnd: „Subito!" Wir bekamen Gründe, dies freundliche und etwas zerstreut-melancholische Lächeln im Gedächtnis zu bewahren.

So ging die Pause herum, der Gongschlag ertönte, das in Plauderei gelöste Publikum sammelte sich, die Kinder rückten sich begierig auf ihren Stühlen zurecht, die Hände im Schoß. Die Bühne war offen geblieben. Cipolla betrat sie ausladenden Schrittes und begann sofort, die zweite Folge seiner Darbietungen conférencemäßig einzuleiten.

Lassen Sie mich zusammenfassen: Dieser selbstbewußte Verwachsene war der stärkste Hypnotiseur, der mir in meinem Leben vorgekommen. Wenn er der Öffentlichkeit über die Natur seiner Vorführungen Sand in die Augen gestreut und sich als Geschicklichkeitskünstler angekündigt hatte, so hatten damit offenbar nur polizeiliche Bestimmungen umgangen werden sollen, die eine gewerbsmäßige Ausübung dieser Kräfte grundsätzlich verpönten. Vielleicht ist die formale Verschleierung in solchen Fällen landesüblich und amtlich geduldet oder halb geduldet. Jedenfalls hatte der Gaukler praktisch aus dem wahren Charakter seiner Wirkungen von Anfang an wenig Hehl gemacht, und die zweite Hälfte seines Programms nun war ganz offen und ausschließlich auf den Spezialversuch, die Demonstration der Willensentziehung und -aufnötigung, gestellt, wenn auch rein rednerisch immer noch die Umschrei-

bung herrschte. In einer langwierigen Serie komi-
scher, aufregender, erstaunlicher Versuche, die
um Mitternacht noch in vollem Gange waren, be-
kam man vom Unscheinbaren bis zum Unge-
heuerlichen alles zu sehen, was dies natürlich-un-
heimliche Feld an Phänomenen zu bieten hat, und
den grotesken Einzelheiten folgte ein lachendes,
kopfschüttelndes, sich aufs Knie schlagendes, ap-
plaudierendes Publikum, das deutlich im Bann
einer Persönlichkeit von strenger Selbstsicherheit
stand, obgleich es, wie mir wenigstens schien,
nicht ohne widerspenstiges Gefühl für das eigen-
tümlich Entehrende war, das für den einzelnen
und für alle in Cipollas Triumphen lag.

Zwei Dinge spielten die Hauptrolle bei diesen
Triumphen: das Stärkungsgläschen und die Reit-
peitsche mit dem Klauengriff. Das eine mußte
immer wieder dazu dienen, seiner Dämonie ein-
zuheizen, da sonst, wie es schien, Erschöpfung

gedroht hätte; und das hätte menschlich besorgt stimmen können um den Mann, wenn nicht das andere, dies beleidigende Symbol seiner Herrschaft, gewesen wäre, diese pfeifende Fuchtel, unter die seine Anmaßung uns alle stellte, und deren Mitwirkung weichere Empfindungen als die einer verwunderten und vertrotzten Unterwerfung nicht aufkommen ließ. Vermißte er sie? Beanspruchte er auch noch unser Mitgefühl? Wollte er alles haben? Eine Äußerung von ihm prägte sich mir ein, die auf solche Eifersucht schließen ließ. Er tat sie, als er, auf dem Höhepunkt seiner Experimente, einen jungen Menschen, der sich ihm zur Verfügung gestellt und sich längst als besonders empfängliches Objekt dieser Einflüsse erwiesen, durch Striche und Anhauch vollkommen kataleptisch gemacht hatte, dergestalt, daß er den in Tiefschlaf Gebannten nicht nur mit Nacken und Füßen auf die Lehnen zweier Stühle legen, sondern

107

sich ihm auch auf den Leib setzen konnte, ohne
daß der brettstarre Körper nachgab. Der Anblick
des Unholds im Salonrock, hockend auf der ver-
holzten Gestalt, war unglaubwürdig und scheuß-
lich, und das Publikum, in der Vorstellung, daß
das Opfer dieser wissenschaftlichen Kurzweil lei-
den müsse, äußerte Erbarmen. „Poveretto!"

„Armer Kerl!" riefen gutmütige Stimmen. „Poveretto!" höhnte Cipolla erbittert. „Das ist falsch adressiert, meine Herrschaften! Sono io, il Poveretto! Ich bin es, der das alles duldet." Man steckte die Lehre ein. Gut, er selbst mochte es sein, der die Kosten der Unterhaltung trug und der vorstellungsweise auch die Leibschmerzen auf sich genommen haben mochte, von denen der Giovanotto die erbärmliche Grimasse lieferte. Aber der Augenschein sprach dagegen, und man ist nicht aufgelegt, Poveretto zu jemanden zu sagen, der für die Entwürdigung der anderen leidet.

Ich habe vorgegriffen und die Reihenfolge ganz beiseite geworfen. Mein Kopf ist noch heute voll von Erinnerungen an des Cavaliere Dulderdaten, nur weiß ich nicht mehr Ordnung darin zu halten, und es kommt auf sie auch nicht an. Soviel aber weiß ich, daß die großen und umständlichen, die am meisten Beifall fanden, mir weniger Eindruck

machten als gewisse kleine und rasch vorüber-
gehende. Das Phänomen des Jungen als Sitzbank
kam mir soeben nur der daran geknüpften Zu-
rechtweisung wegen gleich in den Sinn ... Daß
aber eine ältere Dame, auf einem Strohstuhl schla-
fend, von Cipolla in die Illusion gewiegt wurde,
sie mache eine Reise nach Indien, und aus dem
Trance sehr beweglich von ihren Abenteuern zu
Wasser und zu Lande kündete, beschäftigte mich
viel weniger, und ich fand es weniger toll, als daß,
gleich nach der Pause, ein hoch und breit gebauter
Herr militärischen Ansehens den Arm nicht mehr
heben konnte, nur weil der Bucklige ihm ankün-
digte, er werde es nicht mehr tun können, und ein-
mal seine Reitpeitsche dazu durch die Luft pfei-
fen ließ. Ich sehe noch immer das Gesicht dieses
schnurrbärtig stattlichen Colonnello vor mir, dies
lächelnde Zähnezusammenbeißen im Ringen nach
einer eingebüßten Verfügungsfreiheit. Was für

ein konfuser Vorgang! Er schien zu wollen und nicht zu können; aber er konnte wohl nur nicht wollen, und es waltete da jene die Freiheit lähmende Verstrickung des Willens in sich selbst, die unser Bändiger vorhin schon dem römischen Herrn höhnisch vorausgesagt hatte.

Noch weniger vergesse ich in ihrer rührenden und geisterhaften Komik die Szene mit Frau Angiolieri, deren ätherische Widerstandslosigkeit gegen seine Macht der Cavaliere gewiß schon bei seiner ersten dreisten Umschau im Saale erspäht hatte. Er zog sie durch pure Behexung buchstäblich von ihrem Stuhl empor, aus ihrer Reihe heraus mit sich fort, und dabei hatte er, um sein Licht besser leuchten zu lassen, Herrn Angiolieri aufgegeben, seine Frau mit Vornamen zu rufen, gleichsam um das Gewicht seines Daseins und seiner Rechte in die Waagschale zu werfen und mit der Stimme des Gatten alles in der Seele der

111

Gefährtin wachzurufen, was ihre Tugend gegen bösen Zauber zu schützen vermochte. Doch wie vergeblich geschah es! Cipolla, in einiger Entfernung von dem Ehepaar, ließ einmal seine Peitsche pfeifen, mit der Wirkung, daß unsere Wirtin heftig zusammenzuckte und ihm ihr Gesicht zuwandte. „Sofronia!" rief Herr Angiolieri schon hier (wir hatten gar nicht gewußt, daß Frau Angiolieri Sofronia mit Vornamen hieß), und mit Recht begann er zu rufen, denn jedermann sah, daß Gefahr im Verzuge war: seiner Gattin Antlitz blieb unverwandt gegen den verfluchten Cavaliere gerichtet. Dieser nun, die Peitsche ans Handgelenk gehängt, begann mit allen seinen zehn langen und gelben Fingern winkende und ziehende Bewegungen gegen sein Opfer zu vollführen und schrittweise rückwärts zu gehen. Da stieg Frau Angiolieri in schimmernder Blässe von ihrem Sitze auf, wandte sich ganz nach der Seite des Beschwörers

und fing an, ihm nachzuschweben, Geisterhafter
und fataler Anblick! Mondsüchtigen Ausdrucks,
die Arme steif, die schönen Hände etwas aus dem
Gelenk erhoben und wie mit geschlossenen Füßen
schien sie langsam aus ihrer Bank herauszuglei-
ten, dem ziehenden Verführer nach ... „Rufen

8 Mario

Sie, mein Herr, rufen Sie doch!" mahnte der
Schreckliche. Und Herr Angiolieri rief mit schwa-
cher Stimme: „Sofronia!" Ach, mehrmals rief er
es noch, hob sogar, da sein Weib sich mehr und
mehr von ihm entfernte, eine hohle Hand zum
Munde und winkte mit der andern beim Rufen.
Aber ohnmächtig verhallte die arme Stimme der
Liebe und Pflicht im Rücken einer Verlorenen,
und in mondsüchtigem Gleiten, berückt und taub,
schwebte Frau Angiolieri dahin, in den Mittelgang, ihn entlang, gegen den fingernden Buck-
ligen, auf die Ausgangstür zu. Der Eindruck war
zwingend und vollkommen, daß sie ihrem Meister
wenn dieser gewollt hätte, so bis ans Ende der
Welt gefolgt wäre.

„Accidente!" rief Herr Angiolieri in wirk-
lichem Schrecken und sprang auf, als die Saaltür
erreicht war. Aber im selben Augenblick ließ der
Cavaliere den Siegeskranz gleichsam fallen und

brach ab. „Genug, Signora, ich danke Ihnen",
sagte er und bot der aus Wolken zu sich Kommenden mit komödiantischer Ritterlichkeit den
Arm, um sie Herrn Angiolieri wieder zuzufüh-
ren. „Mein Herr", begrüßte er diesen, „hier ist
Ihre Gemahlin! Unversehrt, nebst meinen Kom-
plimenten, liefere ich sie in Ihre Hände zurück.
Hüten Sie mit allen Kräften Ihrer Männlichkeit
einen Schatz, der so ganz der Ihre ist, und be-
feuern Sie Ihre Wachsamkeit durch die Einsicht,
daß es Mächte gibt, die stärker als Vernunft und
Tugend und nur ausnahmsweise mit der Hoch-
herzigkeit der Entsagung gepaart sind!"

Der arme Herr Angiolieri, still und kahl! Er
sah nicht aus, als ob er sein Glück auch nur gegen
minder dämonische Mächte zu schützen gewußt
hätte, als diejenigen waren, die hier zum Schrek-
ken auch noch den Hohn fügten. Gravitätisch und
gebläht kehrte der Cavaliere aufs Podium zurück

unter einem Beifall, dem seine Beredsamkeit doppelte Fülle verliehen hatte. Namentlich durch diesen Sieg, wenn ich mich nicht irre, war seine Autorität auf einen Grad gestiegen, daß er sein Publikum tanzen lassen konnte, — ja, tanzen. Das ist ganz wörtlich zu verstehen, und es brachte eine gewisse Ausartung, ein gewisses spätnächtliches Drunter und Drüber der Gemüter, eine trunkene Auflösung der kritischen Widerstände mit sich, die so lange dem Wirken des unangenehmen Mannes entgegengestanden waren. Freilich hatte er um die Vollendung seiner Herrschaft hart zu kämpfen, und zwar gegen die Aufsässigkeit des jungen römischen Herrn, dessen moralische Versteifung ein dieser Herrschaft gefährliches öffentliches Beispiel abzugeben drohte. Gerade auf die Wichtigkeit des Beispiels aber verstand sich der Cavaliere, und klug genug, den Ort des geringsten Widerstandes zum Angriffspunkt zu wählen, ließ er die Tanzorgie durch jenen schwächlichen und zur Entgeisterung geneigten Jüngling einleiten, den er vorhin schon stocksteif gemacht hatte. Dieser hatte eine Art, sobald ihn der Meister nur mit dem Blicke anfuhr, wie vom Blitz getroffen den Oberkörper zurückzuwerfen und, Hände an der Hosennaht, in einen Zustand von militärischem Somnambulismus zu verfallen, daß seine Erbötigkeit zu jedem Unsinn, den man ihm auferlegen würde, von vornherein in die Augen sprang. Auch schien er in der Hörigkeit sich ganz zu behagen und seine armselige Selbstbestimmung gern los zu sein; denn immer wieder bot er sich als Versuchsobjekt an und setzte sichtlich seine Ehre darein, ein Musterbeispiel prompter Entseelung und Willenlosigkeit zu bieten. Auch jetzt stieg er aufs Podium, und nur eines Luftstreiches der Peitsche bedurfte es, um ihn nach der Weisung des Cavaliere dort oben „Step" tanzen zu

117

lassen, das heißt in einer Art von wohlgefälliger Ekstase mit geschlossenen Augen und wiegendem Kopf seine dürftigen Glieder nach allen Seiten zu schleudern.

Offenbar war das vergnüglich, und es dauerte nicht lange, bis er Zuzug fand und zwei weitere Personen, ein schlicht und ein gut gekleideter Jüngling, zu seinen beiden Seiten den „Step" vollführten. Hier nun war es, daß der Herr aus Rom sich meldete und trotzig anfragte, ob der Cavaliere sich anheischig mache, ihn tanzen zu lehren, auch wenn er nicht wolle.

„Auch wenn Sie nicht wollen!" antwortete Cipolla in einem Ton, der mir unvergeßlich ist. Ich habe dies fürchterliche „Anche se non vuole!" noch immer im Ohr. Und dann also begann der Kampf. Cipolla, nachdem er ein Gläschen genommen und sich eine frische Zigarette angezündet, stellte den Römer irgendwo im Mittelgang auf,

118

das Gesicht der Ausgangstür zugewandt, nahm
selbst in einiger Entfernung hinter ihm Aufstel-
lung und ließ seine Peitsche pfeifen, indem er be-
fahl: „Balla!" Sein Gegner rührte sich nicht.
„Balla!" wiederholte der Cavaliere mit Bestimmt-
heit und schnippte. Man sah, wie der junge Mann
den Hals im Kragen rückte und wie gleichzeitig
eine seiner Hände sich aus dem Gelenke hob, eine
seiner Fersen sich auswärts kehrte. Bei solchen
Anzeichen einer zuckenden Versuchung aber, An-
zeichen, die jetzt sich verstärkten, jetzt wieder zur
Ruhe gebracht wurden, blieb es lange Zeit. Nie-
mand verkannte, daß hier ein vorgefaßter Ent-
schluß zum entschiedenen Widerstande, eine
heroische Hartnäckigkeit zu besiegen waren; die-
ser Brave wollte die Ehre des Menschengeschlech-
tes heraushauen, er zuckte, aber er tanzte nicht,
und der Versuch zog sich so sehr in die Länge,
daß der Cavaliere genötigt war, seine Aufmerk-

119

samkeit zu teilen; hier und da wandte er sich nach der Bühne und den dort Zappelnden um und ließ seine Peitsche gegen sie pfeifen, um sie in Zucht zu halten, nicht ohne, seitwärts sprechend, das Publikum darüber zu belehren, daß jene Ausgelassenen nachher keinerlei Ermüdung empfinden würden, so lange sie auch tanzten, denn nicht sie seien es eigentlich, die es täten, sondern er. Dann bohrte er wieder den Blick in den Nacken des Römers, die Willensfeste zu berennen, die sich seiner Herrschaft entgegenstellte.

Man sah sie unter seinen immer wiederholten Hieben und unentwegten Anrufen wanken, diese Feste, — sah es mit einer sachlichen Anteilnahme, die von affekthaften Einschlägen, von Bedauern und grausamer Genugtuung nicht frei war. Verstand ich den Vorgang recht, so unterlag dieser Herr der Negativität seiner Kampfposition. Wahrscheinlich kann man vom Nichtwollen seelisch nicht leben; eine Sache nicht tun wollen, das ist auf die Dauer kein Lebensinhalt; etwas nicht wollen und überhaupt nicht mehr wollen, also das Geforderte dennoch tun, das liegt vielleicht zu benachbart, als daß nicht die Freiheitsidee dazwischen ins Gedränge geraten müßte, und in dieser Richtung bewegten sich denn auch die Zureden, die der Cavaliere zwischen Peitschenhiebe und Befehle einflocht, indem er Einwirkungen, die sein Geheimnis waren, mit verwirrend psychologischen mischte. „Balla!" sagte er. „Wer wird sich so quälen? Nennst du es Freiheit — diese Vergewaltigung deiner selbst? Una ballatina! Es reißt dir ja an allen Gliedern. Wie gut wird es sein, ihnen endlich den Willen zu lassen! Da, du tanzest ja schon! Das ist kein Kampf mehr, das ist bereits das Vergnügen!" — So war es, das Zucken und Zerren im Körper des Widerspenstigen nahm überhand, er hob die Arme, die Knie,

*auf einmal lösten sich alle seine Gelenke, er warf
die Glieder, er tanzte, und so führte der Cavaliere
ihn, während die Leute klatschten, aufs Podium,
um ihn den anderen Hampelmännern anzureihen.
Man sah nun das Gesicht des Unterworfenen, es
war dort oben veröffentlicht. Er lächelte breit, mit
halb geschlossenen Augen, während er sich „ver-
gnügte". Es war eine Art von Trost, zu sehen, daß
ihm offenbar wohler war jetzt als zur Zeit seines
Stolzes . . .*

   *Man kann sagen, daß sein „Fall" Epoche
machte. Mit ihm war das Eis gebrochen, Cipollas
Triumph auf seiner Höhe; der Stab der Kirke,
diese pfeifende Ledergerte mit Klauengriff, herrschte unumschränkt. Zu dem Zeitpunkt, den ich im
Sinne habe, und der ziemlich weit nach Mitternacht gelegen gewesen sein muß, tanzten auf der
kleinen Bühne acht oder zehn Personen, aber auch
im Saale selbst gab es allerlei Beweglichkeit, und*

eine Angelsächsin mit Zwicker und langen Zäh-
nen war, ohne daß der Meister sich auch nur um
sie gekümmert hätte, aus ihrer Reihe hervorge-
kommen, um im Mittelgang eine Tarantella auf-
zuführen. Cipolla unterdessen saß in lässiger Hal-
tung auf einem Strohstuhl links auf dem Podium,
verschlang den Rauch einer Zigarette und ließ ihn
durch seine häßlichen Zähne arrogant wieder aus-
strömen. Fußwippend und zuweilen mit den
Schultern lachend blickte er in die Gelöstheit des
Saales und ließ von Zeit zu Zeit, halb rückwärts,
die Peitsche gegen einen Zappler pfeifen, der im
Vergnügen nachlassen wollte. Die Kinder waren
wach um diese Zeit. Ich erwähne sie mit Beschä-
mung. Hier war nicht gut sein, für sie am wenig-
sten, und daß wir sie immer noch nicht fort-
geschafft hatten, kann ich mir nur mit einer ge-
wissen Ansteckung durch die allgemeine Fahr-
lässigkeit erklären, von der zu dieser Nachtstunde

auch wir ergriffen waren. Es war nun schon alles
einerlei. Übrigens und gottlob fehlte ihnen der
Sinn für das Anrüchige dieser Abendunterhal-
tung. Ihre Unschuld entzückte sich immer aufs
neue an der außerordentlichen Erlaubnis, einem
solchen Spektakel, der Soiree des Zauberkünstlers,
beizuwohnen. Immer wieder hatten sie viertelstun-
denweise auf unseren Knien geschlafen und lach-
ten nun mit roten Backen und trunkenen Augen
von Herzen über die Sprünge, die der Herr des
Abends die Leute machen ließ. Sie hatten es sich
so lustig nicht gedacht, sie beteiligten sich mit un-
geschickten Händchen freudig an jedem Applaus.
Aber vor Lust hüpften sie nach ihrer Art von den
Stühlen empor, als Cipolla ihrem Freunde Mario,
Mario vom „Esquisito", winkte, — ihm winkte,
recht wie es im Buche steht, indem er die Hand
vor die Nase hielt und abwechselnd den Zeige-
finger lang aufrichtete und zum Haken krümmte.

124

Mario gehorchte. Ich sehe ihn noch die Stufen hinauf zum Cavaliere steigen, der dabei immer fortfuhr, in jener grotesk-musterhaften Art mit dem Zeigefinger zu winken. Einen Augenblick hatte der junge Mensch gezögert, auch daran erinnere ich mich genau. Er hatte während des Abends mit verschränkten Armen oder die Hände in den Taschen seiner Jacke im Seitengange an

125

einem Holzpfeiler gelehnt, links von uns, dort, wo auch der Giovanotto mit der kriegerischen Haartracht stand, und war den Darbietungen, soviel wir gesehen hatten, aufmerksam, aber ohne viel Heiterkeit und Gott weiß mit wieviel Verständnis gefolgt. Zu guter Letzt noch zur Mittätigkeit angehalten zu werden war ihm sichtlich nicht angenehm. Dennoch war es nur zu begreiflich, daß er dem Winken folgte. Das lag schon in seinem Beruf; und außerdem war es wohl eine seelische Unmöglichkeit, daß ein schlichter Bursche wie er dem Zeichen eines so im Erfolg thronenden Mannes, wie Cipolla es zu dieser Stunde war, hätte den Gehorsam verweigern sollen. Gern oder ungern, er löste sich also von seinem Pfeiler, dankte denen, die, vor ihm stehend und sich umschauend, ihm den Weg zum Podium freigaben, und stieg hinauf, ein zweifelndes Lächeln um seine aufgeworfenen Lippen.

126

Stellen Sie ihn sich vor als einen untersetzt gebauten Jungen von zwanzig Jahren mit kurzgeschorenem Haar, niedriger Stirn und zu schweren Lidern über Augen, deren Farbe ein unbestimmtes Grau mit grünen und gelben Einschlägen war. Das weiß ich genau, denn wir hatten oft mit ihm gesprochen. Das Obergesicht mit der eingedrückten Nase, die einen Sattel von Sommersprossen trug, trat zurück gegen das untere, von den dicken Lippen beherrschte, zwischen denen beim Sprechen die feuchten Zähne sichtbar wurden, und diese Wulstlippen verliehen zusammen mit der Verhülltheit der Augen seiner Physiognomie eine primitive Schwermut, die gerade der Grund gewesen war, weshalb wir von jeher etwas übriggehabt hatten für Mario. Von Brutalität des Ausdrucks konnte keine Rede sein; dem hätte schon die ungewöhnliche Schmalheit und Feinheit seiner Hände widersprochen, die selbst unter

127

Südländern als nobel auffielen, und von denen man sich gern bedienen ließ.

Wir kannten ihn menschlich, ohne ihn persönlich zu kennen, wenn Sie mir die Unterscheidung erlauben wollen. Wir sahen ihn fast täglich und hatten eine gewisse Teilnahme gefaßt für seine träumerische, leicht in Geistesabwesenheit sich verlierende Art, die er in hastigem Übergang durch eine besondere Dienstfertigkeit korrigierte; sie war ernst, höchstens durch die Kinder zum Lächeln zu bringen, nicht mürrisch, aber unschmeichlerisch, ohne gewollte Liebenswürdigkeit, oder vielmehr: sie verzichtete auf Liebenswürdigkeit, sie machte sich offenbar keine Hoffnung, zu gefallen. Seine Figur wäre uns auf jeden Fall im Gedächtnis geblieben, eine der unscheinbaren Reiseerinnerungen, die man besser behält als manche erheblichere. Von seinen Umständen aber wußten wir nichts weiter, als daß sein Vater ein kleiner

Schreiber im Municipio und seine Mutter Wä-
scherin war.

Die weiße Jacke, in der er servierte, kleidete
ihn besser als der verschossene Complet aus dün-
nem, gestreiftem Stoff, in dem er jetzt da hinauf-
stieg, keinen Kragen um den Hals, sondern ein
geflammtes Seidentuch, über dessen Enden die
Jacke geschlossen war. Er trat an den Cavaliere
heran, aber dieser hörte nicht auf, seinen Finger-
haken vor der Nase zu bewegen, so daß Mario
noch näher treten mußte, neben die Beine des Gewaltigen, unmittelbar an den Stuhlsitz heran, worauf Cipolla ihn mit gespreizten Ellbogen anfaßte
und ihm eine Stellung gab, daß wir sein Gesicht
sehen konnten Er musterte ihn lässig, herrscher-
lich und heiter von oben bis unten.

"Was ist das, ragazzo mio?" sagte er. "So spät
machen wir Bekanntschaft? Dennoch kannst du
mir glauben, daß ich die deine längst gemacht

habe ... Aber ja, ich habe dich längst ins Auge
gefaßt und mich deiner vortrefflichen Eigenschaften versichert. Wie konnte ich dich wieder ver-
gessen? So viele Geschäfte, weißt du ... Sag mir
doch, wie nennst du dich? Nur den Vornamen
will ich wissen."

„Mario heiße ich", antwortete der junge
Mensch leise.

„Ah, Mario, sehr gut. Doch, der Name kommt
vor. Ein verbreiteter Name. Ein antiker Name,
einer von denen, die die heroischen Überlieferun-
gen des Vaterlandes wach erhalten. Bravo. Salve!"
Und er streckte Arm und flache Hand aus seiner
schiefen Schulter zum römischen Gruß schräg auf-
wärts. Wenn er etwas betrunken war, so konnte
das nicht wundernehmen; aber er sprach nach wie
vor sehr klar akzentuiert und geläufig, wenn auch
um diese Zeit in sein ganzes Gehaben und auch in
den Tonfall seiner Worte etwas Sattes und

130

Paschahaftes, etwas von Räkelei und Übermut eingetreten war.

„Also denn, mein Mario", fuhr er fort, „es ist schön, daß du heute abend gekommen bist und noch dazu ein so schmuckes Halstuch angelegt hast, das dir exzellent zu Gesichte steht und dir bei den Mädchen nicht wenig zustatten kommen wird, den reizenden Mädchen von Torre di Venere..."

Von den Stehplätzen her, ungefähr von dort, wo auch Mario gestanden hatte, ertönte ein Lachen, — es war der Giovanotto mit der Kriegsfrisur, der es ausstieß, er stand dort mit seiner geschulterten Jacke und lachte „Haha!" recht roh und höhnisch.

Mario zuckte, glaube ich, die Achseln. Jedenfalls zuckte er. Vielleicht war es eigentlich ein Zusammenzucken und die Bewegung der Achseln nur eine halb nachträgliche Verkleidung dafür, mit der er bekunden wollte, daß das Halstuch

9*

sowohl wie das schöne Geschlecht ihm gleichgültig
seien.

Der Cavaliere blickte flüchtig hinunter.

„Um den da kümmern wir uns nicht", sagte er,
„er ist eifersüchtig, wahrscheinlich auf die Er-
folge deines Tuches bei den Mädchen, vielleicht
auch, weil wir uns hier oben so freundschaftlich
unterhalten, du und ich ... Wenn er will, erinnere
ich ihn an seine Kolik. Das kostet mich gar nichts.
Sage ein bißchen, Mario: Du zerstreust dich heute
abend .. Und am Tage bedienst du also in einem
Kurzwarengeschäft?"

„In einem Café", verbesserte der Junge.

„Vielmehr in einem Café! Da hat der Cipolla
einmal danebengehauen. Ein Cameriere bist du,
ein Schenke, ein Ganymed, — das lasse ich mir ge-
fallen, noch eine antike Erinnerung, – salvietta!"
Und dazu streckte der Cavaliere zum Gaudium
des Publikums aufs neue grüßend den Arm aus.

Auch Mario lächelte. „Früher aber", flocht er dann rechtlicherweise ein, „habe ich einige Zeit in Portoclemente in einem Laden bedient." Es war in seiner Bemerkung etwas von dem menschlichen Wunsch, einer Wahrsagung nachzuhelfen, ihr Zutreffendes abzugewinnen.

„Also, also! In einem Laden für Kurzwaren!"

„Es gab dort Kämme und Bürsten", erwiderte Mario ausweichend.

„Sagte ich's nicht, daß du nicht immer ein Ganymed warst, nicht immer mit der Serviette bedient hast? Noch wenn der Cipolla danebenhaut, tut er's auf vertrauenerweckende Weise. Sage, hast du Vertrauen zu mir?"

Unbestimmte Bewegung.

„Eine halbe Antwort", stellte der Cavaliere fest. „Man gewinnt zweifellos schwer dein Vertrauen. Selbst mir, ich sehe es wohl, gelingt das nicht leicht. Ich bemerke in deinem Gesicht einen Zug

von Verschlossenheit, von Traurigkeit, un tratto di malinconia . . . Sage mir doch", und er ergriff zuredend Marios Hand, *„hast du Kummer?"*

„Nossignore!" antwortete dieser rasch und bestimmt.

„Du hast Kummer", beharrte der Gaukler, diese Bestimmtheit autoritär überbietend. *„Das sollte ich nicht sehen? Mach du dem Cipolla etwas weis! Selbstverständlich sind es die Mädchen, ein Mädchen ist es. Du hast Liebeskummer."*

Mario schüttelte lebhaft den Kopf. Gleichzeitig erklang neben uns wieder das brutale Lachen des Giovanotto. Der Cavaliere horchte hin. Seine Augen gingen irgendwo in der Luft umher, aber er hielt dem Lachen das Ohr hin und ließ dann, wie schon ein- oder zweimal während seiner Unterhaltung mit Mario, die Reitpeitsche halb rückwärts gegen sein Zappelkorps pfeifen, damit keiner im Eifer erlahme. Dabei aber wäre sein Partner

ihm fast entschlüpft, denn in plötzlichem Auf-
zucken wandte dieser sich von ihm ab und den
Stufen zu. Er war rot um die Augen. Cipolla hielt
ihn gerade noch fest.

„Halt da!" sagte er. „Das wäre. Du willst aus-
reißen, Ganymed, im besten Augenblick oder dicht
vor dem besten? Hier geblieben, ich verspreche dir
schöne Dinge. Ich verspreche dir, dich von der
Grundlosigkeit deines Kummers zu überzeugen.
Dieses Mädchen, das du kennst und das auch an-
dere kennen, diese — wie heißt sie gleich? Warte!
Ich lese den Namen in deinen Augen, er schwebt
mir auf der Zunge, und auch du bist, sehe ich, im
Begriffe, ihn auszusprechen . . ."

„Silvestra!" rief der Giovanotto von unten.

Der Cavaliere verzog keine Miene.

„Gibt es nicht vorlaute Leute?" fragte er, ohne
hinunterzublicken, vielmehr wie in ungestörter
Zwiesprache mit Mario. „Gibt es nicht überaus

vorlaute Hähne, die zur Zeit und Unzeit krähen?
Da nimmt er uns den Namen von den Lippen, dir
und mir, und glaubt wohl noch, der Eitle, ein be-
sonderes Anrecht auf ihn zu besitzen. Lassen wir
ihn! Die Silvestra aber, deine Silvestra, ja, sage
einmal, das ist ein Mädchen, was?! Ein wahrer
Schatz! Das Herz steht einem still, wenn man sie
gehen, atmen, lachen sieht, so reizend ist sie. Und
ihre runden Arme, wenn sie wäscht und dabei den
Kopf in den Nacken wirft und das Haar aus der
Stirn schüttelt! Ein Engel des Paradieses!"

Mario starrte ihn mit vorgeschobenem Kopfe
an. Er schien seine Lage und das Publikum ver-
gessen zu haben. Die roten Flecken um seine
Augen hatten sich vergrößert und wirkten wie
aufgemalt. Ich habe das selten gesehen. Seine
dicken Lippen standen getrennt.

„Und er macht dir Kummer, dieser Engel",
fuhr Cipolla fort, „oder vielmehr, du machst dir

Kummer um ihn ... Das ist ein Unterschied, mein Lieber, ein schwerwiegender Unterschied, glaube mir! In der Liebe gibt es Mißverständnisse, — man kann sagen, daß das Mißverständnis nirgends so sehr zu Hause ist wie hier. Du wirst meinen, was versteht der Cipolla von der Liebe, er mit seinem kleinen Leibesschaden? Irrtum, er versteht gar viel davon, er versteht sich auf eine umfassende und eindringliche Weise auf sie, es empfiehlt sich, ihm in ihren Angelegenheiten Gehör zu schenken! Aber lassen wir den Cipolla, lassen wir ihn ganz aus dem Spiel, und denken wir nur an Silvestra, deine reizende Silvestra! Wie? Sie sollte irgendeinem krähenden Hahn vor dir den Vorzug geben, so daß er lachen kann und du weinen mußt? Den Vorzug vor dir, einem so gefühlvollen und sympathischen Burschen? Das ist wenig wahrscheinlich, das ist unmöglich, wir wissen es besser, der Cipolla und sie. Wenn ich mich

137

an ihre Stelle versetze, siehst du, und die Wahl
habe zwischen so einem geteerten Lümmel, so
einem Salzfisch und Meeresobst — und einem
Mario, einem Ritter der Serviette, der sich unter
den Herrschaften bewegt, der den Fremden ge-
wandt Erfrischungen reicht und mich liebt mit
wahrem, heißem Gefühl, — meiner Treu, so ist
die Entscheidung meinem Herzen nicht schwer ge-
macht, so weiß ich wohl, wem ich es schenken
soll, wem ganz allein ich es längst schon errötend
geschenkt habe. Es ist Zeit, daß er's sieht und be-
greift, mein Erwählter! Es ist Zeit, daß du mich
siehst und erkennst, Mario, mein Liebster . . .
Sage, wer bin ich?"

Es war greulich, wie der Betrüger sich lieblich
machte, die schiefen Schultern kokett verdrehte, die
Beutelaugen schmachten ließ und in süßlichem
Lächeln seine splittrigen Zähne zeigte. Ach, aber
was war während seiner verblendenden Worte aus

unserem Mario geworden? Es wird mir schwer, es zu sagen, wie es mir schwer wurde, es zu sehen, denn das war eine Preisgabe des Innigsten, die öffentliche Ausstellung verzagter und wahnhaft beseligter Leidenschaft. Er hielt die Hände vorm Munde gefaltet, seine Schultern hoben und senkten sich in gewaltsamen Atemzügen. Gewiß traute er vor Glück seinen Augen und Ohren nicht und vergaß eben nur das eine dabei, daß er ihnen wirklich nicht trauen durfte. „Silvestra!" hauchte er überwältigt, aus tiefster Brust.

„Küsse mich!" sagte der Bucklige. „Glaube, daß du es darfst! Ich liebe dich. Küsse mich hierher", und er wies mit der Spitze des Zeigefingers, Hand, Arm und kleinen Finger wegspreizend, an seine Wange, nahe dem Mund. Und Mario neigte sich und küßte ihn.

Es war recht still im Saale geworden. Der Augenblick war grotesk, ungeheuerlich und

spannend, — der Augenblick von Marios Selig-
keit. Was hörbar wurde in dieser argen Zeitspanne,
in der alle Beziehungen von Glück und Illusion
sich dem Gefühle aufdrängten, war, nicht gleich
am Anfang, aber sogleich nach der traurigen und
skurrilen Vereinigung von Marios Lippen mit
dem abscheulichen Fleisch, das sich seiner Zärt-
lichkeit unterschob, das Lachen des Giovanotto zu
unserer Linken, das sich einzeln aus der Erwartung löste, brutal, schadenfroh und dennoch, ich
hätte mich sehr täuschen müssen, nicht ohne einen
Unterton und Einschlag von Erbarmen mit so viel
verträumtem Nachteil, nicht ganz ohne das Mit-
klingen jenes Rufes „Poveretto!", den der Zauberer vorhin für falsch gerichtet erklärt und für
sich selbst in Anspruch genommen hatte.

Zugleich aber auch schon, während noch dies
Lachen erklang, ließ der oben Geliebkoste unten,
neben dem Stuhlbein, die Reitpeitsche pfeifen,

und Mario, geweckt, fuhr auf und zurück. Er stand und starrte, hintübergebogenen Leibes, drückte die Hände an seine mißbrauchten Lippen, eine über der anderen, schlug sich dann mit den Knöcheln beider mehrmals gegen die Schläfen, machte kehrt und stürzte, während der Saal applaudierte und Cipolla, die Hände im Schoß gefaltet, mit den Schultern lachte, die Stufen hinunter. Unten, in voller Fahrt, warf er sich mit auseinandergerissenen Beinen herum, schleuderte den Arm empor, und zwei flach schmetternde Detonationen durchschlugen Beifall und Gelächter.

Alsbald trat Lautlosigkeit ein. Selbst die Zappler kamen zur Ruhe und glotzten verblüfft. Cipolla war mit einem Satz vom Stuhle aufgesprungen. Er stand da mit abwehrend seitwärtsgestreckten Armen, als wollte er rufen: „Halt! Still! Alles weg von mir! Was ist das?!", sackte im nächsten Augenblick mit auf die Brust kugelndem Kopf auf den Sitz zurück und fiel im übernächsten seitlich davon herunter, zu Boden, wo er liegen blieb, reglos, ein durcheinandergeworfenes Bündel Kleider und schiefer Knochen.

Der Tumult war grenzenlos. Damen verbargen in Zuckungen das Gesicht an der Brust ihrer Begleiter. Man rief nach einem Arzt, nach der Polizei. Man stürmte das Podium. Man warf sich im Gedränge auf Mario, um ihn zu entwaffnen, ihm die kleine, stumpfmetallne, kaum pistolenförmige Maschinerie zu entwinden, die ihm in der Hand hing, und deren fast nicht vorhandenen Lauf das Schicksal in so unvorhergesehene und fremde Richtung gelenkt hatte.

Wir nahmen — nun also doch — die Kinder und zogen sie an dem einschreitenden Karabinierepaar vorüber gegen den Ausgang. „War das auch das Ende?" wollten sie wissen, um sicher zu gehen ... „Ja, das war das Ende", bestätigten

wir ihnen. Ein Ende mit Schrecken, ein höchst
fatales Ende. Und ein befreiendes Ende dennoch, — ich konnte und kann nicht umhin, es so
zu empfinden!

14351

Druck
der Spamerschen Buchdruckerei
in Leipzig.